DILMA ROUSSEFF
E O ÓDIO POLÍTICO

copyright   Tales Ab'Sáber
edição brasileira©   Hedra 2015

edição   Jorge Sallum
revisão   Jorge Sallum
capa   Ronaldo Alves

corpo editorial   Adriano Scatolin,
Caio Gagliardi,
Jorge Sallum,
Luis Dolhnikoff,
Oliver Tolle,
Ricardo Musse,
Ricardo Valle,
Tales Ab'Saber

Grafia atualizada segundo o Acordo Ortográfico da Língua Portuguesa de 1990, em vigor no Brasil desde 2009.

Direitos reservados em língua portuguesa somente para o Brasil

EDITORA HEDRA LTDA.
R. Fradique Coutinho, 1139 (subsolo)
05416–011 São Paulo SP Brasil
Telefone/Fax +55 11 3097 8304

editora@hedra.com.br
www.hedra.com.br

Foi feito o depósito legal.

DILMA ROUSSEFF E O ÓDIO POLÍTICO
Tales Ab'Sáber

1ª edição

hedra

São Paulo_2015

◁ **Dilma Rousseff e o ódio político**, escrito *no calor da hora*, é um retrato sintético, que procura retornar às origens da crise social e política que marcou o primeiro governo da *presidenta* Dilma. O texto compreende, por um lado, a falência do Partido dos Trabalhadores em produzir uma política que lhe fosse minimamente favorável, na medida em que o partido tornou-se indiscriminado do ocaso econômico do projeto lulista. E, por outro, a emergência de uma nova direita organizada no país, e seu ideário que, em uma das suas facetas, recupera a voz do conservadorismo brasileiro mais radical, que fetichiza um comunismo inexistente como base de uma estratégia de direito ao ódio como política.

◁ **Tales Ab'Sáber**, psicanalista e ensaísta, é professor de Filosofia da Psicanálise da Universidade Federal de São Paulo (unifesp), autor de *Lulismo, carisma pop e cultura anticrítica*, *O sonhar restaurado: formas do sonhar em Bion, Winnicott e Freud* e *A música do tempo infinito*.

Sumário

Crise real e *pequena história* 7
Política e mágica 10
Dilma Rousseff: *anti-príncipe* 15
Que horas são? 23
A esquerda contra os bancos 25
A esquerda contra a esquerda 31
Anticomunismo, antipetismo 35
Economia política: teoria tradicional 44
Nova direita: Eduardo Cunha 47
Nova política: judiciário 54
Tradição, corrupção e PT 60
Entropia, anomia e nova ordem 63

CRISE REAL E *PEQUENA HISTÓRIA*

O que se segue é *uma pequena história política*. Ela tenta identificar os elementos principais do que se tornou o esfacelamento do mundo petista de Dilma Rousseff, no início do quarto mandato presidencial consecutivo do Partido dos Trabalhadores.

São *fatores* de política – de *política tradicional* – que serão lembrados aqui. Esta história recente, delimitada por *um ponto de vista do presente* e evocada em imagens condensadas do processo, no momento mesmo do seu gume mais afiado, também busca completar algo do desenho anterior que realizei a respeito do político Luis Inácio Lula da Silva.[1] Ele poderá ser observado, agora, pelo prisma dos resultados trágicos de suas próprias decisões, quando tomadas de modo que poderíamos chamar *narcísico*, e considerando-se o sentido das coisas que cercaram o governo Dilma Rousseff também como parte da ação política do próprio ex-Presidente. Este processo histórico, mesmo que *a posteriori*, ainda realiza uma última faceta de seu semblante.

---

1. *Lulismo, carisma pop e cultura anticrítica,* São Paulo: Hedra, 2011.

Todavia, é preciso dizer que não acredito substantivamente em tudo o que vou elencar neste trabalho. Não quero dizer que estas *entidades* políticas e sociais não existam. Elas existem, andam pelas ruas, são frutos de imensas violências e também produzem a própria nova ordem de violências. Mas penso que o centro de um verdadeiro trabalho político de hoje deveria ser deslocado para *outra pista*, que embora totalmente real, ela própria não encontra espaço prático para existir. E, deste modo, acabamos uma vez mais no mundo das *pequenas categorias*, que dão substrato para a *pequena história*, leitura do real que tenta repor uma ordem imaginária programática, forma interessada por princípio, bem orientada para o poder e seus termos. Isso enquanto o próprio poder – se olhado de sua dinâmica mundial, já livre de qualquer amarra e em velocidade entrópica – destrói constantemente as próprias medidas locais que ainda necessitamos para situá-lo.

O principal da crise mundial que de fato vivemos, e que por aqui acabou por se precipitar como este nosso teatro nacional de impotências – nada inteligente, o que nos dá boa medida de onde estamos, com incríveis evocações do primitivo autoritarismo brasileiro, em uma espécie de falência cidadã do uso da própria democracia, que, ao que tudo indica, além de mero sinal de desespero é ainda menos do que farsa, teatro becktiano de eterno retorno do nada – é, sobretudo, acredito, uma real impossibilidade atual do Capital mundial em se reproduzir sem, de imediato, destruir tantas realidades, países, sociedades, espécies, o planeta, psiquismos, corpos, de modo que, simplesmente, ele vai se tornando cada vez mais um impasse universal à simples manutenção da própria regra do seu jogo. A grosseria autodestrutiva humana vista nas ruas do país, que clama por mais capitalismo à brasileira, também é um momento claro desta universalidade do poder de destruição randômico de nossa época. Mas, por outro lado, não devemos nos enganar, *alguém deve pagar a conta* de um processo de acumulação que não cessa.

O que menos vale, no nosso curioso e menor caso *periférico-central*, é o modo de mascarada próprio ao tempo, o nosso *transe* específico, com que respondemos àquilo que importa: a realidade de uma *terra em transe* em sua própria verdade, aquela que, mais uma vez, foi pensada entre nós por Paulo Eduardo Arantes:

"A entropia avassaladora de agora não afeta apenas os últimos doze anos e meio de hegemonia lulista como se costuma resumir o polo prevalecente nesse período de Fla x Flu eleitoral ininterrupto, mas o longo prazo iniciado por uma Transição que está morrendo agora na praia. Os pretensos herdeiros desse espólio simplesmente não sabem o que os espera ao apressarem seu fim institucional. Estarão abreviando sua própria sobrevida, pois a fuga para frente que ainda insistimos em chamar de crise é antes de tudo um processo ao qual nenhum lance dramático porá fim, nem suicídio, quanto mais intrigas regimentais de políticos e negocistas de quinta. Vencidos pelo cansaço, então, também é isso: trinta e cinco anos ralando, e de permeio um descomunal desperdício [*do* PT], o próprio emblema da tragédia segundo os Antigos.

A crise é assim, essa convergência desastrosa de uma inédita exaustão de todo tipo de recursos, dos mais elementares aos mais elevados, da polinização à imaginação política. Até a potência de Junho parece que se esgotou. Pois é tal a entropia do capitalismo, desorganizado desde o Big Bang de meados dos anos 1970 em seu núcleo orgânico, que desorganiza até mesmo as forças antissistêmicas. Só para efeito de comparação, veja-se o caso do outrora maior partido de esquerda do Ocidente. O PT não está agonizando por força de rejeição imunológica, por maior que seja o efeito do choque externo das ondas sucessivas de anticorpos enraivecidos até o ódio mortal, mas por motivo de uma combustão interna que o consumiu, por assim dizer, do berço ao túmulo. Nenhum ato de violência de classe o desviou de sua vocação original, pura e simplesmente dissipou-se a energia que o mantinha em funcionamento. Bem como a das grandes centrais sindicais e movimentos sociais históricos que gravitavam em sua órbita. Foram todos vencidos pelo cansaço, como sabe todo batalhador de movimento social, quase sempre à beira de um *burnout*."[2]

Apenas para o conhecimento de um teatro de máscaras contemporâneo, que vai dos indivíduos no poder, disputando qualquer coisa, às massas na rua, clamando por qualquer coisa – passe livre, fora PT, contra a corrupção, contra o comunismo, por ditadura, aqui não é a Venezuela... – me dediquei um pouco às figuras de processo histórico que se seguem. Uma vez que, será ainda deste repertório mais ou menos qualquer, aleatório, do passado falido, mas ainda ativo, de nossa humanidade que se buscará, outra vez, repor os pactos, os sentidos que garantam alguma *rósea luz* – ao determinar quais serão os sacrificados da vez, e quem os escolherá – sobre a verdade, ainda intolerável, de nosso verdadeiro *tempo sombrio*.

POLÍTICA E MÁGICA

Há muito intuímos a existência de sortilégio, encantamento ou pensamento mágico na política. Embora este tipo de matéria humana seja considerada por tantos, e por certo

---

[2] "A fórmula mágica da paz social se esgotou", Correio da Cidadania, 17/07/2015.

tipo de cientista da política, como beirando o irreal, porque irracional, ou como sendo da ordem das coisas pré-políticas, por exigir contato com as forças desejantes e imaginárias humanas, ela é de fato bastante viva e de grande eficácia na vida concreta das coisas do poder.

Sabemos, por exemplo, que a convocação e a dominação *carismática* do político é baseada na possibilidade da captura de nosso desejo por um corpo, uma personalidade, um estilo, um ritmo e uma voz, de forma que, para além dos elementos tradicionais que podem ser codificados – econômicos e sociais – estes dados estéticos, porém inconscientes, também fundam uma esperança, e geram uma energia política, sobre e a partir de aspectos imaginados a respeito das qualidades do governante. O que sonhamos do líder, e, principalmente, o seu modo único de nos fazer sonhar – com os complexos pactos de *comunicação* que a ele se agregam – em conjunto com o que ele pode ou não entregar, faz parte do valor de dominação que ele exerce sobre nós. E o caso exemplar extremo de Lula não nos deixa enganar sobre este ponto.

Embora esta dimensão das coisas seja comum, ela é também um dos maiores segredos da política. E sabemos, desde sempre, que algo do poder de Lula passou pelo momento político mágico da sua convocação do amor amplo de grande parte do público brasileiro por ele. Bem como, o que importa agora, o ódio brutal que se expressa hoje nas ruas do país contra o PT é também a tentativa astuciosa e igualmente mágica, baseada em grandes emoções e na redução calculada da linguagem, de anular e esvaziar os motivos encantatórios daquele monumental amor dos brasileiros pelo ex-Presidente.

E, sabe-se, e isto *é simplesmente assim*, que Dilma Rousseff jamais teve nenhum tipo de poder parecido, nenhum poder de atração e de sedução ligado ao seu corpo e ao seu estilo duro de fazer política. Bem ao contrário, ela muitas e muitas vezes afastou e criou dissenso, até mesmo entre os próprios homens de seu governo, quanto mais frente aos seus inimigos. Muitas outras vezes ela apareceu no espaço público com pequenos mas bem nítidos sinais de arrogância e impaciência e ainda em muitas outras oportunidades – o que para mim sempre foi o mais difícil em minha própria relação com a Presidente – teve muitas dificuldades em tornar apenas claras as próprias declarações. Os poderes do carisma político nunca estiveram entre as maiores qualidades da Presidente petista.

Curiosamente, sobre este aspecto, *as funções de personalidade* próprias do político Lula, que produziam os efeitos conciliatórios e de busca de consenso, estavam muito mais próximas das habilidades do seu célebre inimigo íntimo, Fernando Henrique Cardoso – embora os dois sejam homens de estilos muito diferentes – do que da própria pupila, política tecnocrata de esquerda, escolhida para sucedê-lo. Olhando deste ponto de vista, podemos dizer que Dilma Rousseff não fazia *sombra alguma* a Lula. Por outro lado, pela orientação da política e pela "maneira de lutar", Dilma se aproximou mais, ao menos em seu primeiro mandato, das formas próprias das garantias do poder à brasileira *que deseja ser forte*, com traços de autoridade autoritária, que podemos recordar presentes no Brasil em um... Ernesto Geisel, por exemplo.

Tudo indica que, em sua muito singular carreira política, a única pessoa que Dilma Rousseff parece um dia ter de fato seduzido foi o próprio Lula. Ele mesmo, o mago que transformava coisas inertes, *postes*, em verdadeiros seres vivos – *golens* diziam os antigos místicos judeus – que se tornariam seres políticos como uma espécie de continuidade de seu próprio sonho e projeto. O novo "rei taumaturgo" que, a esta altura dos acontecimentos, talvez se arrependa da certeza de sua percepção sobre a própria sucessora, realizada no auge mais intenso do próprio poder, do próprio autoencantamento de Lula.

E além desta escolha, Lula também prometeu a si mesmo, e a todos os brasileiros, que o país jamais seria atingido pela onda gigante da real crise mundial do capitalismo, construída em Wall Street, e que, de 2008 até hoje, desempregou meio mundo, literalmente. No Brasil, aquele tsunami das finanças mundial se tornaria dócil, como as ondas que chegam à beira das praias de um paraíso – de consumo – tropical. Vinda de Lula, com as conexões oníricas na época existentes com seu corpo, seu desejo e sua política de economia interna alavancada, o seu *keyniasinismo de consumo*, tal profecia se tornava automaticamente meio auto realizada. Pois, como hoje sabemos, ela simplesmente não se realizou. Certamente deveria haver limite histórico para tanto desejo e gosto pela mágica, autoconfiança na própria prestidigitação e simultâneo déficit de lucidez.

Na tábula rasa da política lulista, e com o sucesso econômico de seu mundo de carisma pop – também baseado na reprodução do velho Brasil na política – Lula chegou ao fim de seu governo podendo escolher qualquer um como seu sucessor. E esta era uma posição heterodoxa na política de forças presentes em uma democracia complexa. Com a ruína do seu grupo de políticos próximos, atingidos em pleno voo no processo penal do mensalão petista, Lula restou com o seu arbítrio final, a fantasia política extrema de *determinar sozinho quem seria sua sucessora no próprio poder de mando nacional*... Algo se dava *exatamente como a escolha dos sucessores dos antigos generais presidentes,* durante a ditadura de 1964–1984, como um gesto privativo do detentor extremo do poder... – cujo resultado, *exterior à vida social*, implicava na época de fato um quadro de ditadura, de extrema concentração de poder, para chegar mais ou menos a funcionar – ...

E, de algum modo, Lula escolheu qualquer um, *uma companheira que jamais passara por sequer uma eleição majoritária.* Seu desejo de que não existisse sombra política no PT a ele próprio, desejo de mais e máximo poder em um partido que praticamente se dissolvera nele, e por ele, levou à sua radical escolha de alguém com reais e grandes dificuldades políticas. Desde a origem, e sempre, a tecnocrata de esquerda escolhida, advinda do PDT de Leonel Brizola, representou instabilidade política muito forte no próprio PT de Lula. E afora o pacto, também gerencial, pragmático – que acabou explodido pela justiça do juiz Sérgio Moro – com as grandes empreiteiras envolvidas no projeto geral da tentativa de desenvolvimentismo, ainda não se consegue pensar a que forças sociais Dilma Rousseff estava ligada ou representava afinal – e, precisamente sobre este aspecto, a sua condição se parecia um tanto com a de Fernando Collor de Mello, um presidente *impichado...*

Assim, no auge do poder, começava-se a plantar a semente da derrocada, como um gesto inteiramente próprio e pessoal do líder auto-encantado. Todavia, o que foi se revelando uma fuga para frente de Lula poderia encontrar um limite muito maior do que toda a autoconcepção e o narcisismo, que a moviam, podiam conceber.

DILMA ROUSSEFF: *ANTI-PRÍNCIPE*

E esta evocação do passado autoritário brasileiro, que não passa, de grande concentração de poder em figuras convencidas que política deve ser feita deste modo – agora realizada na líder tecnocrática de esquerda, braço direito da organização da administração lulista, ex-jovem combatente contra a ditadura, economista de partido, que transformou política em gerência, que parece fantasiar uma certa batalha imaginária, quadro técnico em um mundo sem quadros técnicos – é figura híbrida brasileira de interesse, por seu melancólico mas ativo anacronismo, ao final de tudo, por fim, claramente impotente.

Olhando nossa pequena tragédia pelo ponto de vista das funções de personalidade do político, interessantemente, José Serra, o candidato alternativo eterno do PSDB ao projeto petista, era também um personagem bastante semelhante a este amálgama de vagas noções à esquerda e mais forte consciência e desejo de controle da economia, visando a desenhar o mundo algo ao seu próprio modo. Dilma e Serra, o seu adversário primeiro na eleição de 2010, eram igualmente ativos, interventores, igualmente herdeiros de uma fantasia de técnica e de razão forte para a gestão do Estado no Brasil. Serra representava, de fato, uma espécie de *neo-desenvolvimentismo* tucano – em uma última imagem muito esmaecida de um Celso Furtado, um moralista técnico, com compromisso com o país, em meio à nova irresponsabilidade financista mais geral da própria classe e partido – e não seria nada impossível que um governo hipotético seu terminasse por se ancorar precisamente no mesmo lastro do Capital local que sustentou o governo petista de Dilma Rousseff: as grandes empreiteiras nacionais, e seu modo perverso próprio de jogar com o Estado e a política. Elite tecnocrática, agora dita de esquerda, era de fato o mais amplo e antigo positivismo brasileiro, transfigurado em agenciamento técnico com o desenvolvimento industrial da segunda metade do século XX, que ainda falava nestes personagens, aparentemente formados no processo limite da política nacional, nos anos de 1960 e 1970, e sua dialética para o nada.

Eram tecnocratas de esquerda, e Dilma era, até mesmo pelo grande mau humor e a tendência forte ao dissenso, um certo tipo de Serra de saia. Ou, mais aproximado pelo partido, pelo próprio Estado que representa e por Fernando Henrique Cardoso, ao capitalismo financeiro brasileiro, os núcleos locais de gestão de fundos globais, José Serra era também uma espécie particular de Dilma de calça. Não é o pitoresco da analogia que importa, mas a própria duplicação. Há um padrão nesta impressão não superada, de um certo passado, dado no modo ainda assertivo destes homens serem. O Brasil teria que, necessariamente, reviver as ações econômicas fortes de governo ativo, mas conservador, destes homens e mulheres que, queiramos ou não, tiveram as formações marcadas e suas ações definidas, em grande parte da própria vida, pelo projeto de construção de Império sobre os despojos da vida social da ditadura militar de 1964/1984. Talvez ambos, como tantos outros, fossem marcados por alguma identificação com o agressor fundamental de suas próprias histórias. O espírito, tão tipicamente brasileiro, de general, de *quem não gostar, eu prendo e arrebento*, podia ser ainda evocado, mesmo que matizado, em algum momento da personalidade de um ou da outra.

No plano do cotidiano, do discurso político da vida, nada poupava os dois personagens de serem vistos como irascíveis e, malgrado ou não o próprio processo histórico mais amplo das forças políticas que mais ou menos representavam, comumente autoritários. E, assim, sobre o primeiro período Dilma de governo, de 2011 a 2014, não era nada difícil esbarrarmos com ressentimentos e reclamações a respeito do gênio e dos modos gerais do comportamento político da Presidente. Ficamos sabendo, por esta dinâmica social comunicativa humana que escapa aos controles de governos, e vem de todos os lados, que qualquer coisa podia mesmo acontecer na sua presença, menos as manhas e artes da cordialidade estratégica lulista, ou da diplomacia elevada e satisfeita de *chics* entre si, de tipo Nabuco, de FHC.

Por isto, de tempos em tempos, quando enfiada em significativas crises de negociação, sempre aumentadas por ela própria, Dilma Rousseff irremediavelmente precisou pedir lições de etiqueta, de saídas propagandísticas de imagem e de manejo político, a Lula. Lições que, tudo indica, ela nunca levou a sério. Além disto, não sendo Lula, e Lula não estando no lugar do jogo político dela, as intuições do ex-Presidente de nada lhe serviram. Isto não impediu que, ao fim de seu governo, ela própria fosse vista como má agradecida e recalcitrante pelo próprio Lula, e sua família.[3] A entropia presente na forma do controle era grande.

Eu também tive a oportunidade, comum, do andamento normal da vida, de ouvir reclamações amargas a respeito da vida política e pública com a Presidente. Essas vozes diziam mais ou menos que ela não parecia manter contato com o que importava, nem em projetos e nem em cuidados com

---

3. Ver "A afilhada rebelde", por Daniela Pinheiro, outubro de 2014, revista Piauí.

o outro. E, se ouvi isto, é certo que muitos outros também ouviram. Aqui temos a famosa multiplicação das vozes públicas comuns, que corroem o poder de governos e de príncipes.

Me recordo particularmente, a respeito do modo dela encaminhar sua política entre os homens, do desalento de um diplomata, ligado a significativas políticas de Estado lulistas, e, também, da ironia de um lobista, que representava interesses fortes o suficiente para frequentar o palácio da Alvorada. Ambos os homens, em tudo diferentes, se referiam à Presidente, de modo cifrado ou aberto, dependendo do próprio *habitus* social, com o mesmo acento negativo, e o mesmo horizonte de desesperança, de real caso perdido...

A inabilidade radical com o outro, *o suposto inimigo* no jogo do poder e nos interesses da economia, de uma neófita em toda possibilidade de negociação política ou pública, só era superada pela incrível inabilidade na lida com os próprios parceiros de poder, com as constantes escaramuças, divididas e rupturas com os próprios homens, a própria equipe de governo. Alguns pequenos exemplos, do modo que, reza a lenda, se tornou sistemático de Dilma Rousseff gerir – afinal, segundo a ideologia que a sustentou, ela, mais do que uma política e menos do que uma governante, era uma *gerentona...* uma palavra muito feia... – que parece ter acontecido em todos os níveis da sua ação, da burocracia oficial aos embates com os grande interesses:

"Depois de ter sido desautorizado publicamente pela Presidente Dilma Rousseff a emitir opinião sobre o caso Vivo/TIM, o ministro das Comunicações, Paulo Bernardo, mudou o discurso. Ele disse nesta segunda-feira que 'não devemos ficar falando (sobre o assunto) porque essa briga não é aqui no Brasil.' (...) Na semana passada, Bernardo disse que resultaria em concentração 'muito grande' no mercado de telefonia brasileiro o aumento da participação da dona da Vivo (Telefônica) no capital da dona da TIM (Telecom Italia). A Presidente Dilma reagiu. 'Houve uma opinião do ministro Paulo Bernardo (das Comunicações), que não é a opinião oficial do governo, ainda' – afirmou ela na quarta-feira passada, em Nova York, após reunião da Organização das Nações Unidas (ONU). A Presidente afirmou que caberá ao Conselho Administrativo de Defesa Econômica (Cade) se manifestar sobre o acordo. 'Ela está totalmente certa. O Cade tem que examinar a concentração de mercado' – disse Bernardo nesta segunda-feira."

"O ex-articulador político do governo, Pepe Vargas, convocou uma coletiva de imprensa na tarde desta quarta-feira para anunciar que foi convidado pela Presidente Dilma Rousseff para ser ministro da Secretaria de Direitos Humanos da Presidência da República e aceitou a proposta. Em seguida, após ser interrompido por uma ligação, ele recuou das afirmações. 'A presidenta Dilma me convidou para ir pra Secretaria de Direitos Humanos, coloquei à presidenta que eu poderia ajudar o seu governo na Câmara dos Deputados. A Presidente insistiu que eu permanecesse na sua equipe', afirmou. 'Sou daqueles que acham que as pessoas são os seus valores e as suas circunstâncias. Dentro dos meus valores, acredito que não se deve dizer 'não' a um pedido da presidenta da República. Não tem nenhuma circunstância que me impede de ir para SDH, então pelos meus valores e pela ausência de circunstâncias que dificultem minha ida para SDH, vou acolher então o pedido da Presidente', havia afirmado logo antes da ligação. Pepe, no entanto, mudou o tom do discurso depois de receber uma ligação telefônica que interrompeu por três minutos a coletiva de imprensa. Apesar de ter afirmado, momentos antes, que Dilma insistiu para que ele aceitasse o pedido e confirmado que vai 'acolher o pedido', Pepe passou a dar respostas evasivas e insistir apenas que tem condições de colaborar com o governo Dilma se ela decidir. Ele ressaltou que também não teria problemas em reassumir o mandato que tem de Deputado federal. 'A única coisa que tenho garantia é o meu mandato de Deputado', disse. De volta à sala de entrevista, disse que Dilma não confirmou sua nomeação para a Secretaria. 'Não houve um comunicado oficial em relação a isso. O que digo para a presidenta é que, se ela quiser me aproveitar na sua equipe, tranquilamente aceito o convite de continuar contribuindo com a sua equipe', afirmou. Perguntado sobre quais seriam suas prioridades como chefe da Secretaria de Direitos Humanos, Pepe respondeu: 'Não fui nomeado ministro da secretaria de Direitos Humanos, não há por que eu fazer esse tipo de comentário'.

Ele foi retirado da Secretaria de Relações Institucionais da Presidência da República com a decisão de Dilma de que o vice-Presidente Michel Temer passaria a acumular a função de articulação política. Questionado sobre a ligação telefônica, o petista respondeu: 'Era um telefonema que eu tinha de atender, que eu tinha solicitado'. Para Pepe, ao tirá-lo do comando da articulação política do governo, Dilma fez uma opção de substituir o PT pelo PMDB, partidos da base do governo que têm protagonizado atritos. 'Esse ruído desorganiza e desestabiliza o conjunto da base', afirmou."

"Com apenas um dia no cargo, o ministro do Planejamento, Nelson Barbosa, levou ontem uma bronca da Presidente da República, e, por ordem de Dilma Rousseff, divulgou nota em que afirma que 'a proposta de valorização do salário mínimo, a partir de 2016, seguirá a regra de reajuste atualmente vigente'. Pela manhã, depois de ler os jornais na praia, na base naval de Aratu, na Bahia, onde descansa, a Presidente ficou bastante irritada com a repercussão das declarações de Barbosa do dia anterior, sobre a mudança na regra de reajuste do salário mínimo, e mandou o ministro divulgar uma nota desmentindo as afirmações. (…) A declaração do ministro foi considerada um desastre político pelo Palácio do Planalto.

Segundo interlocutores de Dilma, houve falta de 'sincronismo político'. A equipe econômica vinha estudando uma nova fórmula de correção dos rendimentos, com o aval do Planalto, mas o núcleo político do governo queria que esse assunto viesse à tona somente no segundo semestre. Com a ordem de Dilma para Barbosa desmentir as declarações, o governo, na prática, se comprometeu em manter a fórmula vigente, na contramão do que a equipe econômica pretendia. A nota assinada por Nelson Barbosa foi divulgada no começo da tarde de ontem: 'O ministro do Planejamento, Orçamento e Gestão, Nelson Barbosa, esclarece que a proposta de valorização do salário mínimo, a partir de 2016, seguirá a regra de reajuste atualmente vigente. Essa proposta requer um novo projeto de lei, que deverá ser enviado ao Congresso Nacional ao longo deste ano'."[4]

Tudo sempre pareceu indicar que, para a Presidente, a sua prerrogativa de desmentir os homens de seu governo quando entendesse, particularmente em público, era bem mais importante do que a ideia de harmonia, coordenação e a virtual lealdade interna do próprio governo. Mistura de sua necessidade de afirmação da última palavra, de controle de todas as ações e de demonstrar-se a ativa *matriarca* de seu próprio poder – em uma imagem de *self político* primitiva – infantilizando e confundindo os seus agentes de governo e de Estado – com constantes sinalizações de desorganização e de desencontros denunciados por ela própria – tal comportamento gerou o mito da mulher política autoritária e de

---

[4]. Rennan Setti, em O Globo, 30/09/2003; Bernardo Caram, Rafael Moraes e Tânia Monteiro, em O Estado de S. Paulo, 08/04/2015 e Gabriela Valente, Simone Iglesias e Catarina Alencastro em O Globo, 03/01/2015.

acesso improvável, que só fez crescer. Não há dúvida que, sobre muitos aspectos, ela contribuiu ativamente para o seu próprio isolamento.

Nos casos trazidos acima, já avançados na história da crise interna ao governo de Dilma Rousseff, as desavenças públicas com a equipe vão de questões burocráticas de posicionamento de Estado, envolvendo grandes interesses empresariais, a quase pitorescas gafes relacionadas ao trato com a informação e o destino dos próprios homens, até importantíssimas políticas envolvendo ganhos ou perdas dos trabalhadores no Brasil. E, em nenhum dos casos a palavra final foi a de Dilma Rousseff. Nos três ela foi a de sua neurose.

A *mãe do PAC*, de Lula, deveria tornar-se, por seu próprio desejo, uma arcaizante *mãe de todos*, o que ela só conseguiu expressar frente a sua própria equipe, com muitos desencontros. E esta era uma fórmula política e psíquica muito primitiva, apenas inviável em uma democracia plena de forças contraditórias. O contraste absoluto com o mundo do tipo de controle da política *por sedução*, próprio de Lula, é realmente espantoso, nos levando a pergunta se alguma vez houve de fato algo em comum entre estes dois, homem e mulher, políticos de esquerda. Teria o impulso obsessivo e controlador de Dilma Rousseff, de tecnocrata e matriarca, um dia servido à organização psíquica da própria dispersão do homem político verdadeiro que foi Lula – em uma reedição da *imago* de Dona Lindu – e, deste modo, ele pensou que ela faria tão bem ao Brasil quanto fez a ele, pessoalmente? É difícil, até mesmo para um analista, acreditarmos que motivos psicanalíticos tão prosaicos e tradicionais possam ter tamanho impacto público e histórico.

Os elementos que também se revelam fortemente na personalidade da Presidente são, como venho sustentando, eles próprios políticos: por cisão e ilegitimidade no trato com o governo – na sua parte petista ou não – por arrogância simplória e gosto comezinho pelo poder no trato com as forças externas ao governo, este *modo de lutar* poderia levar ao isolamento político, que em algum momento se tornou extremo. Dilma funcionou na política simplesmente como uma *antipríncipe* maquiavélico, ou seja, permanentemente incapaz de produzir uma ação política, ou de linguagem, que *aumentasse o seu próprio poder* e que, também, aumentasse a integração de sua comunidade.

O único momento de bom humor legítimo, e sua inteligência, de Dilma Rousseff – quando ela teria dito que *era uma mulher muito dura, cercada de homens muito fofos* – revela a crise de todos contra todos no coração do terceiro governo petista. Esta crise pertence à política brasileira, pertence ao PT, e revela a inexistência real de medida pública unificadora entre os seus homens. Mas ela se torna inteiramente *do governo* quando levada por uma política que reage a ela como a Presidente sempre reagiu.

QUE HORAS SÃO?

Quando se vive, em um estado de direito, em meio a denúncias constantes de desvios de várias centenas de milhões de dólares de empresas públicas, cuja culpa já foi assumida por vários réus em juízo; e quando a empresa assaltada é a Petrobras; e quando milhares de pessoas, em sua maioria das classes altas brasileiras, vão às ruas mais de uma vez pedir o impedimento da Presidente; quando discursos públicos de governo são encobertos com o som de panelas batendo, e quando o mesmo público, que se levanta indignado por um sistema de corrupção, convive bem com outro e com quem pede o retorno de alguma ditadura no Brasil; quando, após anos de disseminação desta linguagem, ouvimos aos gritos que petistas devem ir para Cuba – no mesmo momento em que os Estados Unidos reabrem relações com Cuba – quando Ronaldo Caiado – alguém ainda se lembra quem ele é? – tenta se tornar representante das ruas, e pede a extinção do Partido dos Trabalhadores por corrupção reiterada; quando, da noite para o dia, e sem manifestação do governo, o Congresso libera votações da redução de maioridade penal e de uma quase ilimitada terceirização, no país dos direitos trabalhistas varguistas que, entre outras coisas, foram responsáveis pela criação dos sindicatos que deram origem ao PT; quando papais e mamães ficam felizes com as fotografias de seus filhos abraçados a policiais militares durante manifestações na Avenida Paulista, em uma época em que a polícia brasileira é denunciada como uma das que mais mata no mundo, especialmente jovens pobres e negros; quando o espaço público da política imaginada se encontra em tal momento de radicalização, de tensão e de esgarçamento dos sentidos, a favor de uma difusa nova direita, em que cidadania parece ser apenas a garantia de todos se desentenderem, bem como o evidente direito da grosseria brasileira de se expressar nas ruas como política, talvez, então, nesta hora histórica de meio transe, seja difícil – para muitos dos que estão excitados, ou correndo risco iminente de prisão, ou movidos pelos interesses mais baixos de ódio e de vingança (de classe?) – pensar com processos de sentido mais amplos, que, todavia, nem sempre são meramente simbólicos.

Mesmo que a tendência geral das ruas seja a do mais verdadeiro embaralhamento das cartas, podemos lembrar alguns pontos históricos que, na medida mínima do que é o pensamento, habitam os gritos mais gerais, e o som estridente de panelas batendo forte ao redor. E outros ainda que, embora bem importantes, não habitam de nenhum modo esta nova experiência política, radical conformista.

De todo modo, a nova tecnologia de organização de uma ampla nova direita, com seus textos abertos a todos os arcaísmos imagináveis, é ela própria a sinalização de uma crise mais profunda: a das estruturas de enunciação de alguma real perspectiva à esquerda neste campo. Com a acelerada falência do PT tanto na política, quanto nas ruas, de onde uma voz crítica no Brasil poderá voltar a se tornar um dia pública? E, se em 2013 o Movimento Passe Livre conseguiu congelar em vinte centavos o aumento das passagens de ônibus, quem vai conseguir congelar a nova fúria organizada à direita, antissocial por tradição, quando ela exigir, com terceirização do trabalho, todo tipo de corte nos mínimos benefícios sociais brasileiros? O que observamos, no momento, como sustentação ideológica do movimento, é que esta nova direita visa a banir do espaço público a ideia de que qualquer reparação ao andamento infernal do mercado no Brasil possa ser desejada.

A ESQUERDA CONTRA OS BANCOS

Até onde pude acompanhar e compreender o processo da crise do governo petista de Dilma Rousseff me parece necessário relembrarmos os pontos de ruptura que antecederam e originaram todo o processo de falência política do governo – e de transbordamento social da oposição ao governo – que se configurou com força no início de 2015. Em algum momento, por volta do ano de 2012, o terceiro governo petista começou a produzir tensão e cisão de interesses que, em ondas sucessivas de desgastes, tornou-se a base do imenso racha, de caráter social, que expressou a posição classista de um novo tipo de paixão política à direita, que se abateu de modo feroz sobre o início do quarto governo petista.

De fato, esta longa sucessão, para o Brasil, de governos petistas – sob o trabalho constante de uma oposição que se organizou como texto, como grupo e como conjunto de interesses concretos ao menos desde 2012 – também faz parte dos elementos que constituem a crise. Após anos de desgastes, passado o tempo sobre um conjunto de mazelas de governo que pouco se alteravam – a presença constante do sistema político em *estado de corrupção* – e mantendo-se o poder, apesar de toda crítica, a oposição social antipetista acabou por descobrir os mecanismos de protesto direto, imediatos e de choque, que buscam reduzir muito a margem de manobra do discurso político do governo, se é que, a esta altura, ainda há algum.

O que ocorreu, em meados de 2012, quando se produziu o primeiro discurso de oposição organizado, com base social forte, que quebrou o relativo pacto de interesses acomodados realizado por Lula durante seus dois governos? Com o pacto que chegou ao auge em 2010 após a aprovação recorde de seu governo e a eleição de sua sucessora, neófita no jogo do poder?

Uma importante nova onda de baixa dos juros bancários brasileiros, promovida pelo governo, chegou ao seu ponto mais baixo, e gradualmente, disparou o discurso e a organização social de interesses contra a política governista. A taxa referencial dos juros brasileiros, a Selic, caiu continuamente, em uma série histórica incomum. De agosto de 2011, quando alcançava 12,5%, até novembro de 2012, quando chegou a 7,25%, a taxa atingiu de fato o menor nível no Brasil em todos os tempos. Além disto, para relembrarmos a persistência do governo naquela política, durante seis meses, de novembro de 2012 a abril de 2013, a taxa foi mantida exatamente no patamar de 7,25%, baixo para o Brasil.

Para termos uma ideia do que isto significou, podemos lembrar que a taxa Selic mínima alcançada no período Fernando Henrique/Armínio Fraga, em fevereiro de 2001, foi de 15,25%... No período Lula o ponto mais baixo foi de 8,75%, em julho de 2009. A média da taxa de juros dos anos Lula foi de 13,79%. E a de Fernando Henrique, fabulosos 26,7%...

Deste modo, o governo de Dilma Rousseff afirmava com muita força uma concepção de política econômica, e modo de funcionar, que o destacava da tradição de facilitação dos interesses bancários, muito própria de nossa democracia. O governo pretendeu de fato *governar* o sistema geral do dinheiro, e se pensava politicamente forte para tanto. Além de baixar os juros gerais da economia, ele dirigiu os bancos públicos, Caixa Econômica Federal e Banco do Brasil, para a queda real dos juros de operação de créditos diretos ao consumidor, e dentre eles, até mesmo o da tradicional extorsão cotidiana do cheque especial. E, exatamente neste momento, interessante e interessadamente, emergiu com força a oposição a este modo do terceiro governo petista de entender as coisas do Brasil.

Foram muitos os tipos de discursos que então se apresentaram, e que minavam e negavam a possibilidade da política de juros, que visava ao desenvolvimento interno da economia, sustentada ao longo de quase dois anos pelo governo, dar certo algum dia. Surgiu um mundo de profecias sucessivas de uma crise econômica ruinosa que se abateria sobre o Brasil, mas que, também no período, no mundo da vida e do pleno emprego do comprometimento econômico petista, sempre se adiava.

Em abril de 2012, quando o processo de queda dos juros ainda estava longe do auge, Roberto Luiz Troster, um ex-economista chefe da Febraban, revelou a posição do setor em relação à política:

"O governo está determinado a baixar as taxas de juros bancárias. Para tanto, Banco do Brasil, Caixa e Ministério da Fazenda estariam preparando medidas para reduzir o custo do financiamento. O objetivo seria fazer as duas instituições ofertarem linhas de cheque especial, de aquisição de bens e de crédito pessoal a 2% ao mês. Com isso, forçariam as demais a emprestar mais barato. A ação do governo induziria a uma eficiência maior do sistema financeiro, compatível com sua sofisticação. Com isso, a inadimplência diminuiria, o consumo e o investimento seriam estimulados, em especial das pequenas e médias empresas. Mas isso é inviável. Lamentavelmente, da maneira que está sendo lutada, é uma batalha perdida. Não é por falta de boa vontade ou de capacidade dos envolvidos. Sem subsídios ou prejuízos, não é possível. Os grandes bancos no Brasil não conseguem emprestar ao consumidor nesse patamar de taxas. Basta analisar seus balanços e verificar que as margens almejadas seriam deficitárias."[5]

A diferença é bem grande do espírito pacificado da declaração do banqueiro Olavo Setúbal, feita à mesma Folha de S. Paulo em agosto de 2006, às vésperas da segunda eleição

---

5. "Crédito a 2% ao mês? Não vai dar certo", Folha de S. Paulo, 6/4/2012.

de Lula: "Lula está para ganhar a eleição e o mercado está tranquilo. Não tem diferença do ponto de vista do modelo econômico. Eu acho que a eleição do Lula ou do Alckmin é igual."

Este primeiro discurso contra a política de juros dilmista tinha o mérito especial de ir ao ponto, de dizer aquilo que a partir de então as demais construções de razões negativas passariam a esconder. Ele era bastante claro: os bancos passariam a trabalhar com margens de lucros que consideravam insuficientes, e assim, eles não aceitavam a política. Quando os juros nos EUA de Barack Obama estavam girando entre 0 e 0,25%, para estimular a economia local à sair da crise, juros de 7,25% ao ano no Brasil eram inaceitáveis… Certo, se lembrarmos que nosso sistema financeiro chegou a trabalhar durante anos com médias de 26,7%… O governo comprara uma briga limite, com agentes sociais especiais, setores muito organizados e influentes do Capital nacional.

E, neste ponto, não sabemos dizer, é difícil saber, se a política da ruptura anunciada se produziu pela fome dos interesses financeiros confrontados ou pela proverbial inabilidade política da Presidente em conduzir processos de conflito, visando a alguma meta política estável – inabilidade cifrada na enigmática frase de Troster, "da maneira que a luta esta sendo lutada…"? – bem ao contrário de seu antecessor. O fato é que, pela primeira vez em dez anos da meio surpreendente política de *capitalismo social* da esquerda que chegara ao governo em 2003, surgia uma oposição consciente, interessada e com força social real contra, capaz de, gradualmente, abalar em profundidade o projeto geral petista.

A partir daí os discursos de confronto de modelos, de disputa de leitura da vida econômica e social brasileira, se sucederam e se intensificaram. As percepções técnicas fiscais, pró-diminuição da atividade econômica do governo, ocuparam gradualmente cada vez mais espaço no sistema da comunicação pública, e tornaram-se cada vez mais o consenso de uma nova opinião política que se punha nitidamente contra o governo. Ao mesmo tempo, e no mesmo movimento, os investimentos reais na economia escasseavam. Assim, acumulavam-se com facilidade todas as críticas ao ponto. Além de serem impossíveis para os bancos, como com singeleza espantosa declarou o homem da Febraban, *o capital nacional não faria a inversão em mercado produtivo interno* que o governo almejava, ele não investiria de nenhum modo, porque os parâmetros da economia estavam manipulados, maquiados e subsidiados...

Além disso, os juros baixos apenas emprestavam dinheiro fácil a quem, logo mais, não poderia pagar, o que colocava o sistema inteiro ainda mais em risco... Além disso, o processo era apenas inflacionário, e não continha, apesar do virtual pleno emprego continuado no país, nada de virtuoso...

Qualquer argumento, mesmo sendo eles contraditórios, era válido para desmobilizar a política e deslegitimar um governo que deixou de ser de interesse. O governo Dilma Rousseff criara, finalmente, após dez anos de predomínio petista, a sua oposição real. E, talvez, a mais forte oposição que ele poderia esperar, a oposição direta do *capital financeiro*, e seu pacto pelo rentismo, sujeito vitorioso de todos processos do capitalismo à brasileira, com acesso permanente, franqueado e *vip* a todo meio de comunicação. Este grande discurso, do desejo deste ator das coisas do dinheiro entre nós, estruturaria gradualmente a base de uma alternativa política ao governo petista, até então inexistente.

Na disputa real pelos juros, pela primeira vez, o governo petista *deixou de ser o governo dos bancos brasileiros*, que passaram a investir de novo na busca de um próprio mundo político de interesse. O que não necessitavam fazer desde a chegada de Lula ao poder.

A ESQUERDA CONTRA A ESQUERDA

Por outro lado, em outra direção, em junho de 2013 o governo sofreu um imenso revés, até então inconcebível e inexistente em qualquer quadro de ação política imaginável. As ruas falaram alto contra os limites sociais e a adaptação propagandística a uma realidade imaginada, que o governo recebera do modo de Lula gerir a vida simbólica brasileira.

Da noite para o dia, longas e sérias crises acumuladas, do transporte público nas grandes cidades brasileiras, da experiência coletiva da polícia incompetente e antissocial, herança não criticada da ditadura militar, da péssima qualidade dos serviços públicos no Brasil, todas as mazelas de uma vida falsamente pacificada e redimida na lógica das seduções muito propagandeadas do lulismo, entravam em crise imediata e urgente e movimentavam uma nova paixão política, do desejo de política direta, nos corpos vivos de jovens, há muito não vista no Brasil.

O Brasil entrava em fase, da noite para o dia, e apesar da tinta imaginária lulista sobre a realidade nacional, com as crises populares frente à representação da política que eclodiram, no pós-2008 da quebra do sistema de Wall Street, em várias partes do mundo: no occupy americano, nas manifestações espanholas, no mundo árabe africano, na Turquia, na Grécia...

Todo o esforço propagandístico, com algo de verdadeiro e algo de falso, do governo lulo-petista de mais de dez anos, aparecia de repente como muito deficitário em relação às aspirações de cidadania qualificada da vida urbana brasileira. Aos trocos do bolsa família para miseráveis, política social limite, ao esforço de aumento mínimo de salário e do crédito, para o avanço do consumo dos pobres no Brasil e à política de atração do mercado do espetáculo mundial para o Brasil – com Copa do Mundo e Olimpíada passando a gerir investimentos, ações públicas e legislação locais – se contrapunha nas ruas, como crítica à esquerda ao governo, a ruína da educação, da saúde, do transporte e da polícia. E, enfim, da própria política.

E, no caso do heroico, jovem e amplo Movimento Passe Livre, se anunciavam duas dimensões novas para a política, no quadro do populismo de mercado lulista: o desejo de reformas mais radicalmente democráticas, como a socialização do direito à mobilidade nas cidades do Brasil, e, a novidade real imediata, a possibilidade de uma ação política independente da vida oficial chegar a resultados concretos. O desrecalque utópico das sociedades de classes, apesar dos mecanismos cada vez mais sofisticados de assimilação e controle, é sempre um espectro que ronda concretamente o mundo do mercado.

Duas perspectivas críticas muito aguçadas viram um horizonte mais amplo no processo histórico da crise popular, nas ruas, frente ao pacto interno de concertação capitalista da nação esgarçada:

"Até o próximo *round* quando outros atores finalmente entrarem em cena, saberemos se as jornadas de junho começaram de fato a desmanchar o consenso entre 'direita' e 'esquerda' acerca do *modus operandi* do capitalismo no Brasil. Há vinte anos o país se tornou uma tremenda fábrica de consentimento, todos empenhados em se deixar esfolar com fervor. Batemos no teto? É o que a derrapagem histórica que detonou todo o processo sugere. Pela primeira vez a violência que restou da ditadura – e a democracia aprimorou – aprisionando a política no aparato judiciário-policial, por algum motivo não funcionou. Um limiar certamente foi transposto. Resta saber qual, e logo."

"Em duas semanas o Brasil que diziam que havia dado certo – que derrubou a inflação, incluiu os excluídos, está acabando com a pobreza extrema e é um exemplo internacional – foi substituído por um outro país, em que o transporte popular, a educação e a saúde públicas são um desastre e cuja classe política é uma vergonha, sem falar na corrupção. Qual das duas versões está certa? É claro que todos estes defeitos já existiam antes, mas eles não pareciam o principal; e é claro que aqueles méritos do Brasil continuam a existir, mas parece que já não dão a tônica. O espírito crítico, que esteve fora de moda, para não dizer fora de pauta, teve agora a oportunidade de renascer. A energia dos protestos recentes, de cuja dimensão popular ainda sabemos pouco, suspendeu o véu e reequilibrou o jogo. Talvez ela devolva a nossa cultura o senso de realidade e o nervo crítico."[6]

⸌6. A primeira citação é de Paulo Eduardo Arantes, a segunda de Roberto Schwarz. Duas perspectivas em que há semelhanças amplas, mas, também, alguma diferença significativa em relação à avaliação do *sentido* da experiência histórica brasileira da redemocratização. Em *Cidades rebeldes*, São Paulo: Boitempo, 2013. À época também escrevi, olhando o movimento de uma perspectiva de esperança de esquerda: "Em termos históricos mais amplos, o que se anuncia nas ruas é o esgotamento do período de hegemonia do

O movimento social dos jovens independentes de esquerda pensava em valores amplos e utópicos, mas perfeitamente possíveis, ao mesmo tempo que ocupava o espaço real deixado pela alienação do Estado e da política oficial em relação ao mundo da vida. Uma nova prática social, à esquerda, anunciava a perda de contato do Partido dos Trabalhadores com as forças que durante mais de trinta anos ele quis representar, e soube integrar, para a hegemonia do grande projeto de Lula.

Estes dois grandes momentos e movimentos, o do abandono do dinheiro financeiro do projeto da esquerda petista, e o da crise política da perda das ruas para demandas sociais legitimas, que o governo não podia responder, criaram a tensão original por onde o governo de Dilma Rousseff começou a perder força. De um lado, o capital local se afastava do projeto, começava a criticá-lo duramente no espaço da mídia pública, e passava a buscar nova alternativa de interesse ao poder petista, sustentando concretamente o movimento da forte oposição que quase venceria a eleição de 2014. De outro, movimentos sociais à esquerda escancaravam a distância que o partido mantinha da vida real das mazelas bra-

---

pacto social realizado pela política de Lula, incluindo aí o seu corpo, centrado na inclusão pelo consumo de superfície. Uma nova ordem crítica da política oficial, e sua distância da vida, e uma inédita crítica de massa à *corrupção do espetáculo* – visando aos gastos antissociais da Copa do Mundo no Brasil – são também importantes avanços simbólicos, novas marcas políticas *investidas*, que o movimento produziu. São três os principais *significantes* que emergem da prática política coletiva: *sem partidos* – o que também quer dizer sem o PT – *sem violência* e, ao redor do processo, *ninguém está entendendo nada*. Em conjunto com o prazer do reconhecimento de um nível alto de *esclarecimento das massas* no Brasil e da retomada do valor social da solidariedade."; "As manifestações e o direito à política", Folha de S. Paulo, 24/06/2013.

sileiras, propunham políticas de cunho sociais mais fortes e encenavam a política independente, de ação direta, como perda de influência do governo sobre as suas próprias bases tradicionais.

Definitivamente, para o bem e para o mal, Dilma Rousseff há muito não *era um poste* de Lula, e, no seu estilo Geisel de ser, muito menos, era uma continuidade da ação política que emanava dele.

ANTICOMUNISMO, ANTIPETISMO

Estas tensões políticas, clivagens e afastamentos sociais reais do governo de Dilma Rousseff foram a base da convocação de um outro tipo de agente social, que acabou por ser a fera de ataque mais dura, organizada e eficaz, para a corrosão atual da mística petista. Com o realinhamento gradual e real do grande capital contra o governo, *o homem conservador médio*, antipetista por tradição e anticomunista por natureza arcaica brasileira mais antiga – um homem de adesão ao poder por fantasia de proteção *patriarcal e agregada*, fruto familiar do atraso brasileiro no processo da produção social moderna – pode entrar em cena como força política real, deixando de expressar privadamente um mero ressentimento rixoso, carregado de contradições, contra o relativo sucesso do governo lulo-petista, que jamais pode ser verdadeiramente compreendido por ele.

Com as eleições, e o apoio senhoril assegurador do grande dinheiro, que voltava a ser genericamente antipetista, este povo se manifestou em massa. Com a bomba atômica da corrupção na Petrobras revelada, explodindo no colo da Presidente logo após a reeleição – a verdadeira ficha do desequilíbrio político final – esta camada média, que havia se organizado ao redor de um candidato e que não se conformara com a sua derrota, ganhou o instrumento definitivo, agora de fato *real*, que, junto com a sua própria nova organização, de produção midiática de espetáculo de massas, e de muita estratégia na internet, gerou a nova paixão política conservadora pósmoderna brasileira. O desequilíbrio mais profundo da política no capitalismo de consenso geral brasileiro, indicado acima por Paulo Arantes, tendia a se desequilibrar fortemente para a direita, *nova velha*.

Assim, antipetistas indignados com a corrupção do outro, e anticomunistas do nada, tomaram as ruas para produzir o texto para os grandes conglomerados de mídia nacionais repercutirem, o que ocorreu, em tempo real. Estas forças *herdaram as ruas* a partir dos levantes, originalmente críticos ao governo, mas à esquerda, ocorridos em 2013, se apropriando da legitimidade política e simbólica do que era um outro movimento.

Embora esvaziado em todo o mundo, e particularmente no modo de conceber o poder da até ontem bem sucedida esquerda democrática brasileira, a já tardia ideia de "comunismo" parece ainda ter uma vigência imaginária importante no Brasil, e está bem presente, surpreendentemente, no fundo da ação na rua desta grande fração das classes altas brasileiras. Onde as coisas são assim, pode-se afirmar com alguma certeza um fracasso do vínculo entre pensamento e política.

Construção que vem de bem longe, ponto de apoio e ideia central para a instauração de duas ditaduras *parafascistas* no difícil século xx brasileiro, foco de uma guerra mundial pela hegemonia de Impérios, o anticomunismo sobrevive magicamente no Brasil de hoje como uma espécie de imagem de desejo, para a grande simplificação interessada da política que ele de fato realiza. Ele mantém o discurso político em um polo muito tenso e extremo de negatividade à qualquer realização democrática ou popular de governo; ou melhor, ele é contra qualquer realização que desvie a posse imaginária do Estado de seus senhores, imaginários, de direito.

Para antipetistas, movimento de desfaçatez do velho anticomunismo, basta atribuir ao governo o epíteto de estalinista, ou bolivariano – e gritar nas ruas que 'aqui não é a Venezuela', como se algum dia o Brasil o tenha sido – para poder se livrar de explicar todo o sentido real da política brasileira. Trata-se de um sortilégio, da redução da política ao maniqueísmo interessado mais simples, na esperança de desfechos já há muito impossíveis, do tipo guerra fria.

A dinâmica democrática e viva entre as classes e o governo é transformada deste modo em um gesto de desejo imediato, em uma luta imaginária limite, contra os comunistas inexistentes. E, me parece, isto apenas quer dizer que o governo deve ser derrotado *in extremis*. O anticomunismo é estratégia extremada – ancorado no arcaico liberalismo conservador brasileiro, com fumos de fidalguia, as famosas raízes do Brasil, de origem ibérica e escravocrata – de resgatar o governo de compromissos populares quaisquer, mesmo quando estes compromissos, como no caso dos governos Lula e Dilma, sejam de fato os da inserção de massas no mercado de consumo e de trabalho, evidentemente prómercado, capitalista.

E, de fato, é necessária uma fantasmagoria limite, exatamente por isso: foi o governo de esquerda que deu uma certa solução política para o avanço capitalista bem paralisado no

Brasil do neoliberalismo periférico dos anos 1990, dirigido pela grande elite econômica nacional. Bem ao contrário da alucinose dos homens que ainda usam os termos próprios da guerra fria, como se sabe, o governo de esquerda dinamizou intensamente o capitalismo de mercado interno brasileiro, alcançando de fato um virtual estado de pleno emprego no Brasil.

A taxa de desemprego caiu sem parar durante os governos petistas, de 12,4% em 2003 para 4,8% em 2014, enquanto, de 2009 a 2014, nos Estados Unidos, origem da crise mundial, ela oscilou de 10% para 7%, na Itália ela foi de 7 para 13%, na França de 8,5 para 10,2% e na Espanha…, de 18 para 27%; e por isso mesmo, nos valores hegemônicos de uma cultura total de mercado, tal governo só poderia ser vencido se lhe fosse projetado o velho desejo autoritário brasileiro, o mais puro anticomunismo com toques de moralismo neoudenista, que, mais uma vez, nada tinha a ver com o caso.

Por isso, inimigos políticos paralisados pelo sucesso mais geral do governo Lula foram revolver os porões psíquicos do passado: após a vitória de Lula com Dilma, Fernando Henrique Cardoso propôs, de modo envergonhado, mas convicto, que o PSDB guinasse à direita e José Serra utilizou-se abertamente de retórica anticomunista em sua campanha contra Dilma Rousseff. Justo eles dois, um dia vítimas da prática de ódio político com que agora flertavam. Essa linguagem já se tornara quase óbvia na campanha de Aécio Neves, campanha derrotada, provavelmente, pelos pobres empregados do Brasil de 2014.

Vejamos os termos sociológicos, e a janela de oportunidades, de Fernando Henrique Cardoso, para esta guinada do partido, contra um discurso político "visando ao povão", a favor do que chamou de *novas classes possuidoras*, que deveriam ter os próprios interesses aguçados por uma nova política à direita; e a favor do acento do discurso moralista de elite, que fatalmente encontraria a velha estratégia retórica do anticomunismo brasileiro:

"Enquanto o PSDB e seus aliados persistirem em disputar com o PT influência sobre os 'movimentos sociais' ou o 'povão', isto é, sobre as massas carentes e pouco informadas, falarão sozinhos. Isto porque o governo 'aparelhou', cooptou com benesses e recursos as principais centrais sindicais e os movimentos organizados da sociedade civil e dispõe de mecanismos de concessão de benesses às massas carentes mais eficazes do que a palavra dos oposicionistas, além da influência que exerce na mídia com as verbas publicitárias. (…) Existe toda uma gama de classes médias, de novas classes possuidoras (empresários de novo tipo e mais jovens), de profissionais das atividades contemporâneas ligadas à TI (tecnologia da informação) e ao entretenimento, aos novos serviços espalhados pelo Brasil afora, às quais se soma o que vem sendo chamado sem muita precisão de 'classe C' ou de nova classe média. Digo imprecisamente porque a definição de classe social não se limita às categorias de renda (a elas se somam educação, redes sociais de conexão, prestígio social etc.), mas não para negar a extensão e a importância do fenômeno. Pois bem, a imensa maioria destes grupos sem excluir as camadas de trabalhadores urbanos já integrados ao mercado capitalista está ausente do jogo político-partidário, mas não desconectada das redes de internet, Facebook, YouTube, Twitter etc. É a estes que as oposições devem dirigir suas mensagens prioritariamente, sobretudo no período entre as eleições, quando os partidos falam para si mesmo, no Congresso e nos governos. Se houver ousadia, os partidos de oposição podem organizar-se pelos meios eletrônicos, dando vida não a diretórios burocráticos, mas a debates verdadeiros sobre os temas de interesse dessas camadas. (…) Seria erro fatal imaginar, por exemplo, que o discurso 'moralista' é coisa de elite à moda da antiga UDN. A corrupção continua a ter o repúdio não só das classes médias como de boa parte da população. Na última campanha eleitoral, o momento de maior crescimento da candidatura Serra e de aproximação aos resultados obtidos pela candidata governista foi quando veio à tona o 'episódio Erenice'. Mas é preciso ter coragem de dar o nome aos bois e vincular a 'falha moral' a seus resultados práticos, negativos para a população. Mais ainda: é preciso persistir, repetir a crítica, ao estilo do 'beba Coca Cola' dos publicitários. Não se trata de dar-nos por satisfeitos, à moda de demonstrar um teorema e escrever 'cqd', como queríamos demonstrar. Seres humanos não atuam por motivos meramente racionais. Sem a teatralização que leve à emoção, a crítica moralista ou outra qualquer cai no vazio."[7]

FHC simplesmente sinalizou, em um discurso estranho e novo à leitura política nacional, muito assemelhado aos cálculos sociais de marqueteiros americanos, a brecha possível para a emergente *tea partização* do espaço público da política brasileira, um movimento apaixonado de busca de submissão extrema de tudo ao mercado e sua estrita produtividade – jacobinos do mercado – que também animou, em outro círculo do conservadorismo, o delírio arcaico do velho anticomunismo brasileiro. Anticomunistas do nada, velhos autoritários anti-populares e novos *tea-partistas* em busca de um Estado estrito para a multiplicação de seus negócios, iam de mãos dadas. E incluíam também na foto, feliz, pela primeira vez como ator democrático, não por acaso, a problemática Polícia Militar paulista.

---

[7]. "O papel da oposição", Revista Interesse Nacional, no. 13, abril/junho 2011.

Também, no período de ascensão e queda petista, atacar com a máxima retórica, isenta de responsabilidade, em jornais, blogs ou revistas, o comunismo imaginado do governo, tornou-se um dos modos mais fáceis e oportunos de ganhar dinheiro no mercado dos textos e das ideias no Brasil. Era suficiente reproduzir a rede de ideias comuns e fixadas, com sua linguagem agressiva, indignada artificial, que sustentassem todo dia o mesmo curto circuito do pensamento. Simplificação espetacular e ponto certo no imaginário autoritário, jornalistas, articulistas, programas de TV e de rádio e revistas inteiras passaram, durante anos, a ler as atividades do governo do ponto de vista extremo, limitado, do anticomunismo imaginário. Além de anacrônico, havia algo de verdadeiramente preguiçoso neste processo mental político. Antigos artistas, verdadeiros comunistas dos anos 1960 – os nomes são conhecidos de todos – se prestavam a vender opiniões imediatas, atacando faceiramente o aberto *estalinismo* dos governos de Lula e Dilma. Surgiram os muito duvidosos heróis intelectuais do gênero.

Embora a imprensa fosse absolutamente livre, a Polícia Federal, o Ministério Público e a Justiça trabalhassem como jamais no Brasil, e desde o segundo ano do governo Lula a cúpula petista estivesse sobre processo criminal aberto e acabasse de fato inteira na cadeia, durante anos homens muito inteligentes nos garantiam todos os dias nos jornais a natureza ditatorial fixada – alucinose – do governo petista.

O delírio interessado, farsesco, não conhecia limite, uma vez que se desobrigava radicalmente de checar realidades. O fato de, contrariando a opinião garantida destes estranhos pensadores, sempre dada por certeza, Lula não ter se aventurado por nem um segundo na busca de um terceiro mandato, como era previsto – bem ao contrário do comportamento de FHC quando na Presidência – também não os sensibilizou para os compromissos democráticos do Presidente petista. E gradualmente, se abria mais e mais o espaço para este tipo de regressão, *wishful thinking*, da leitura da ordem da política, impingindo o delírio apolítico, trabalho mágico obsessivo, como a medida real das coisas brasileiras.

No limite, chegamos a conviver cotidianamente, em grandes jornais, com articulistas que atacavam qualquer ideia ou projeto progressista, de interesse coletivo, solidário ou, até mesmo, apenas meramente humanista. Os novos modernos anticomunistas liberais do mercado concentracionário brasileiro tangenciavam o fascismo, um tipo muito próprio de fascismo de consumo, como dizia Pasolini. Daí a emergência lógica de um discurso final, atual, baseado no mesmo jogo grosseiro de redução da política, da ideia apoteótica de extermínio definitivo do PT...

O fato de o governo Dilma ser obrigado a convocar, algo contra a vontade, uma Comissão Nacional da Verdade, após o Brasil, no apagar das luzes do governo Lula, ao final de 2010, ser enfim condenado na Corte Interamericana de Direitos Humanos da OEA, também mobilizou a ira de velhos torturadores aposentados, amigos e parentes de torturadores e saudosos brasileiros de ditaduras de todos os tipos, que, em tal panorama, puderam falar contra a tardia Comissão da Verdade da democracia brasileira, e o governo, sem sofrerem nenhum constrangimento de opinião pública, ou legal.

Como se sabe, tais homens bons foram cruelmente perseguidos pela sanha revanchista dos comunistas derrotados, que haviam tomado o poder de assalto em 2003 e, assim, estes homens bons estavam legitimados, pelos próprios interesses, a retornarem ao ideário de 1970, época em que torturavam, matavam e desapareciam com brasileiros... Era preciso manter a paranoia alimentada.

Os anticomunistas, agentes reais de ditadura, foram convocados pela mínima política reparatória forçada à esquerda, pois foram incomodados em suas aposentadorias especiais e premiadas. Pela estratégia geral da luta política contra o governo eles foram cinicamente tolerados.

Assim se produzia o campo extremo, algo delirante, em que a luta democrática antipetista encontrava a velha tradição autoritária brasileira. E, por isso, agora que o país, em seu neo-transe, se levanta contra os comunistas inexistentes, em uma ritualização do ódio e da ideologia, elegantes *socialites* peessedebistas e novos empresários *teapartistas* convivem bem, nas ruas, fechando os olhos para o que interessa, com bárbaros defensores de ditadura, homens que discursam armados em cima de trios elétricos, clamando por intervenção militar urgente no Brasil e sonhando com o voto em Jair Bolsonaro. Não por acaso, em regime de farsa verdadeira, se vislumbrou nas passeatas de março o semblante das velhas marchas conservadoras de 1964.

Assim, todo o campo dos anticomunistas do nada, incluindo elegantes estadistas e cientistas sociais, prestou desserviço à qualificação do debate público brasileiro para a vida contemporânea, que ainda é seduzido e obrigado a pensar, por estes homens, regressivamente, com parâmetros vencidos de mundo, construídos em 1959. Este campo também é movido, em uma certa facção da elite que o anima, por uma verdadeira política *identitária de classe*, cujo lastro organizador de mundo é o ódio antipopular brasileiro.

Tal grosseria imatura e interessada seria simplesmente inaceitável por alguma vida política minimamente informada; se não se apoiasse em espetaculares erros reais do governo, que talvez, imaginariamente, entenda que a crítica às suas práticas graves seja apenas a ideia fixa delirante do anticomunismo do nada, e não um gradual e verdadeiro afastamento de suas bases políticas.

O anticomunismo atrasado brasileiro é regressão da política. Regressão aos argumentos de força e redução da diferença, e implica gozos baixos, do ódio que poderia se alçar ao sadismo, simplificação de toda vida pública e social e do direito ao desprezo do destino da vida popular. É uma política do direito ao ódio fixado, frente à vítima escolhida.

Ele tende, como pode se observar facilmente no Brasil hoje, a reduzir a linguagem mediada dos problemas ao gesto de força, na panela, ou no corpo do inimigo.

ECONOMIA POLÍTICA: TEORIA TRADICIONAL

Podemos sintetizar o resultado da crise econômica do governo Dilma, *liquidado pela impossibilidade de manter sozinho, por subsídios internos a grupos selecionados, a vida econômica do Brasil aquecida, e assim, empregando, em uma economia global com viés claramente recessivo.* Isto se deu em uma época na qual, por exemplo, a Europa e seu Capital se viram em crise aguda, sob os grandes riscos da quebra da Grécia e a grande crise da invasão social dos miseráveis sem destino periférico, africanos e árabes; quando se fragmentou e se multiplicou a guerra americana no oriente médio, tendente à guerra perpétua; quando se instaurou a importante crise geopolítica e econômica russa; e, principalmente, para o Brasil, quando se deu a real desaceleração da economia Chinesa, que se tornou uma constante.

Esta síntese pode ser mais bem feita por alguém que, neste momento, acredita *nestes* parâmetros; ela pode ser dada nos termos finais realizados por um especialista, um verdadeiro *economista político*, para o bem e para o mal. Trata-se de um ambíguo comentarista que apoiou genericamente, mas positivamente, como um representante *agora* progressista da burguesia paulista a política econômica ampla de populismo de mercado lulista – e que, na sua origem de homem político, foi um tecnocrata poderoso forte da ditadura militar brasileira em seu auge –. E que, ao fim e ao cabo da degradação das contas públicas, do fracasso do keynesianismo de subsídios da *nova matriz econômica dilmista* – sem inversão ou criação de nenhum capital produtivo – que chegou ao seu esgotamento, repôs assim, da noite para o dia, os velhos parâmetros liberais *universais* de leitura econômica, em um rápido retorno à ordem pré-petista, agora pós-petista:

"O ano 2014 foi horrível. Nele prevaleceu a 'vontade' da reeleição a qualquer custo. Ela era necessária para fechar o ciclo de uma geração de domínio do Partido dos Trabalhadores, do qual emergiria, definitivamente, o 'nosso Brasil', como diz o seu Presidente. A 'vontade política' preteriu, assim, as mínimas condições impostas pelas restrições físicas que mantêm um razoável equilíbrio econômico. Tivemos: um déficit fiscal de 6,2% do PIB (contra 3,1% em 2013); uma taxa de inflação de 6,4%, mas que escondeu os efeitos de preços controlados da ordem de 3% a 4%; a relação Dívida Bruta/PIB aumentou em 6% do PIB; um déficit em conta corrente de US$ 104 bilhões (4,4% do PIB) e, por fim, uma queda de 0,7% do PIB per capita.

Permanecendo no poder, o PT acreditava que teria tempo de sobra para dar a 'volta por cima' e preparar-se para ganhar as eleições de 2018.

As provas materiais dessa hipótese são um relatório interno de 2013, da Secretaria de Política Econômica do Ministério da Fazenda, que já apontava que a velocidade de crescimento das despesas primárias do governo era maior do que a da receita, que vinha sendo coberta com receitas atípicas, isto é, não recorrentes. Chamava a atenção para a sua aleatoriedade.

Outro relatório interno da mesma origem, de 2014, propunha 'exatamente' as medidas corretivas iniciais do 'ajuste' fiscal que o Governo só enviou ao Congresso depois de reeleito. O Ministério da Fazenda imolou-se no altar da fúria de poder do PT. Inventou a 'nova matriz econômica' para dar cobertura à irresponsabilidade política. Como me ensinou meu velho avô, 'quando alguém erra três vezes na mesma direção, preste atenção, porque provavelmente ele está acertando'…

Houve uma trágica subestimação dos efeitos deletérios dessa estratégia. Na tentativa de corrigir o estrago eleitoral a Presidente impôs-se uma conversão comparável à de são Paulo na estrada de Damasco. Teria funcionado se ela não tivesse, ao mesmo tempo, perdido a confiança dos seus eleitores, o que tornou pior o que já estava ruim. Somou à crise econômica uma crise política, como é frequente quando o Executivo perde o seu protagonismo."[8]

As súbitas conversões petistas, e seu novo *beijar a cruz*, já não convenciam mais, ou se tornaram redundantes e desnecessárias. E é a certeza da sustentação desta perspectiva que deu as reais garantais simbólicas para a aposta continuada da derrubada, nas ruas, do governo reeleito em 2014.

---

8. Delfim Netto, "É estrutural", Folha de S. Paulo, 29/07/2015.

NOVA DIREITA: EDUARDO CUNHA

Eduardo Cunha,[9] do PMDB do Rio de Janeiro, assumiu a presidência da Câmara dos Deputados em 1º de Fevereiro de 2015. Sua vitória, por 276 votos a 136, contra Arlindo Chinaglia, o candidato do governo, foi a primeira das várias derrotas que a partir de então, em ritmo vertiginoso, ele passara a promover no Congresso, contra temas, pautas e princípios do governo petista de Dilma Rousseff. A organização pessoal de Cunha, e de seus interesses conservadores amplos, imediatamente ganhou nítido contraste com a dissolução geral da política petista, que acontecia ao seu redor.

Apesar da vitória para a Presidência e de conquistar a maior bancada no Congresso, o Partido dos Trabalhadores pareceu ter saído das urnas em 2014 simplesmente derrotado. A crise de corrupção na Petrobras – envolvendo propinas do cartel que controlava a empresa endereçadas a PT, PMDB e PP e a 17 políticos investigados, entre eles Eduardo Cunha e Renan Calheiros, além de um senador do PSDB... – e o acirramento da oposição que levou Aécio Neves a meros 3% de distância da Presidente reeleita, parecem ter marcado de maneira profundamente negativa o espírito do novo governo. O desgaste total da sua política econômica, que manteve o pleno emprego no Brasil, mas gastou todas as fichas disponíveis para além do limite do equilíbrio fiscal e não conseguiu promover crescimento no último ano e meio, levou o animo e a auto-concepção do governo petista à lona. O governo só parecia saber fazer política na plena posse do

---

[9]. O que segue, a respeito de Eduardo Cunha, foi publicado anteriormente em O Estado de S. Paulo.

seu próprio modelo de economia – uma espécie de social-desenvolvimentismo, ou capitalismo social, se olharmos daqui ou dali – e ter de realizar cortes fortes nos gastos públicos, de tipo neoliberal, desorientou definitivamente a bússola governista para o próprio trabalho. Além disso, logo, a nova organização social à direita, a nova paixão política à direita, prosseguiu sua feroz crítica ao governo nas ruas, criando um fator de forte instabilidade que o PT não conhecia.

O quadro de fraqueza de governo, de falência de projeto, falta de predomínio sobre a própria base, além da velha inapetência para a política parlamentar petista – uma agremiação que acabara viciada no seu bonapartismo lulista –, não foi criado por Eduardo Cunha, mas é o *setting* que permitiu a força e o colorido da sua própria atuação surpreendente. E desde o primeiro segundo ele soube ler com grande acuidade a situação: "Eu acho pouco provável o sucesso de uma candidatura do PT em qualquer disputa contra qualquer um, e não vejo dentre os Deputados do PMDB nenhuma vontade de apoiar uma candidatura do PT [à presidência da Câmara] (...) Até para a governabilidade é melhor que se tenha alguém que seja representativo de uma maioria, que tenha capacidade de discussão e que esteja completamente distante do centro da polarização eleitoral que aconteceu." A respeito da governabilidade, esta posição preliminar de Cunha era simplesmente uma carta falsa.

Buscando legitimidade, como nome da maioria informe, em nome da sua independência e como mediador, e virtual vencedor, da grande polarização eleitoral de 2014, ele se elegeu Presidente da Câmara, contra um movimento político ligeiro e desorgânico do governo. Imediatamente declarou que só passando sobre seu cadáver o tema do aborto – e o da regulação da mídia – seriam pautados na Câmara presidida por ele. Aliás, de modo acintoso, e sinalizando claramente seu vínculo com um grande sistema de poderes, ele também afirmou que "regulação econômica de mídia já existe no Brasil, você não pode ter mais de cinco geradoras de televisão"... As declarações deixavam claro, no mundo da vida e das grandes aspirações e perspectivas de poder, a posição de compromissos de Cunha, e, ainda mais, a sua forte vontade pessoal de exercer ao máximo o seu poder, empenhando simbolicamente o próprio corpo. Ele assumia a responsabilidade por sua pauta conservadora, ainda mais à direita do próprio grupo em geral informe, e voraz, de parlamentares que passou a liderar, dar cérebro e coluna, conhecido historicamente como o *centrão*.

Sobre o aborto, a sua posição era tradicional. Homem ligado ao movimento político de massas das Igrejas Evangélicas brasileiras – mais precisamente à Assembleia de Deus, ministério Madureira – em 2011 ele se tornou conhecido pela excentricidade e a desfaçatez de propor o projeto de lei do "dia nacional do orgulho hétero", para defender a "maioria discriminada", segundo ele próprio. Quando, após a novela da Globo *Amor à vida* exibir em seu último capítulo o muito aguardado beijo gay entre Félix e Nico, Cunha se manifestou prontamente e assertivamente, como é sua característica, agora no Twitter: "Estamos vivendo a fase dos ataques, tais como a pressão gay, a dos maconheiros e abortistas. O povo evangélico tem que se posicionar." Não se pode negar que Cunha é um político em busca de ação. Ele se baseia na força social real da massa de evangélicos, popular e moralista, e expressa para este povo que o sustentou até agora uma espécie pós-moderna de amplo populismo conservador, de fantasia de restauração, meio religiosa, meio moral, meio midiática, que, como se tornou comum comentar a seu respeito, não esconde o vínculo entre o desejo de ocupar espaço na política, o caráter conservador e a ação muito afirmativa, autoritária.

Quanto aos grandes negócios, em grande escala, de novos monumentos à ascensão da *sua própria classe média*, Eduardo Cunha é também explicitamente ativo. Além de se preocupar pessoalmente com a limitação de cinco geradoras de televisão por cidadão brasileiro, assim que assumiu a mesa diretora da Câmara ele deu início ao processo de construção de um novo conjunto de prédios ligados ao Congresso, nos quais estão previstos maiores gabinetes, estacionamento, um novo auditório – um novo plenário, mais amplo e para mais deputados, desbancando o prédio tombado, patrimônio da arquitetura mundial, de Oscar Niemayer? – e um shopping de luxo para os congressistas e suas mulheres. O valor total do empreendimento imobiliário, que envolverá, mais uma vez, muitas das empreiteiras que investiram forte nas campanhas dos próprios Deputados, está orçado em um bilhão de reais.

Os luxos e os mimos de Cunha aos seus pares deverão ser construídos no período de maior aperto fiscal e orçamentário do país dos últimos 15 anos, que vai atingir em cheio a vida econômica e a classe trabalhadora brasileira. O governo de Cunha para o Congresso se expressa na máxima brasileira do político conservador, sob suspeição, que justifica e legitima sua prática social meramente ao fazer construções de imenso porte...

E as obras, agora, são gabinetes de luxo e shopping center particular, no mundo dos chics entre si do parlamento brasileiro. Trata-se de um sintoma mais que perfeito do tempo. E, além do negócio imobiliário bilionário para o maior conforto da própria classe, há indícios importantes, segundo promotores públicos, com declaração explícita do delator Alberto Youssef na Operação Lava Jato, de Eduardo Cunha ter recebido propinas e tentar chantagear a empresa japonesa Mitsui & Co. quando os pagamentos, ligados aos grandes desvios acontecidos na Petrobras, cessaram. E, finalmente, em 16 de junho, Julio Camargo, homem ligado à construtura Toyo Setal, preso e sob regime de delação premiada da Operação Lava à Jato, declarou ao juiz Sérgio Moro:

"Tivemos um encontro. Deputado Eduardo Cunha, Fernando Soares [o doleiro tido por homem de Cunha] e eu. [...] Deputado Eduardo Cunha é conhecido como uma pessoa agressiva, mas confesso que comigo foi extremamente amistoso, dizendo que ele não tinha nada pessoal contra mim, mas que havia um débito meu com o Fernando do qual ele era merecedor de US$ 5 milhões."

O Deputado, definitivamente, não é peixe pequeno.

Eduardo Cunha é, portanto, uma mistura de Severino Cavalcanti e Pastor Marco Feliciano, que finalmente deu certo. Mais ativo, hábil com a linguagem, sempre de prontidão e com imenso gosto pelo poder, mais estruturado em sua bases, ele se tornou rapidamente, voando baixo sob a ruína da política petista, o homem que a direita brasileira há muito tempo não dispunha. Ele é de fato, sobre todos os aspectos, um *anti-Dilma Rousseff*. Uma verdadeira liderança, produtiva para os próprios interesses de classe, com um aceno conservador nítido ao novo público político produzido nas igrejas, nas rádios e nas televisões evangélicas. Ele é egresso desta nova elite, popular, telerreligiosa, empreendedora, ativa e pós-moderna.

Politicamente, em dois meses de direção da Câmara ele liderou duas derrotas históricas, em velocidade de *Blitzkrieg*, que sinalizaram claramente a atual alienação política do governo dito de esquerda: a aprovação na Comissão de Constituição e Justiça da proposta de diminuição da maioridade penal no Brasil e a aprovação em plenário de uma ampla lei de terceirização do trabalho no Brasil, produzindo a maior derrota nas leis trabalhistas brasileiras desde a sua instauração por Getúlio Vargas. Neste momento podemos dizer que o PT simplesmente não existia na política do país. Novamente, em uma frente, a pauta conservadora visava a sociedade civil, e noutra, se articulava para os maiores interesses empresarias, que aproveitaram o homem muito disposto no Congresso e a falência do governo para tramitar da noite para o dia, sem debate, um projeto de imenso impacto social, parado a 11 anos. Nestes primeiros dias, Cunha valeu-se do vácuo de governo para simplesmente governar o Brasil, desde o Congresso.

Com requintes de arbítrio – pondo em votação novamente a matéria após já ter sido derrotado – Cunha buscou fazer a mesma coisa com a reforma política, tentando antecipar-se à crise nacional que também promovera: aprovar em velocidade extrema a reforma da sua preferência, sem discussão. Pela primeira vez foi derrotado, em parte. Havia mais interesses em jogo do que a sua liderança agressiva podia dar conta. Mas garantiu o que lhe era principal: o atrelamento das campanhas políticas brasileiras ao dinheiro das empresas.

Sua política acelerada e afirmativa, para os seus, que enfiou vários gols no time do governo, perdido em campo, é também um modo de colocar os interesses dos seus políticos denunciados na Lava Jato, entre eles ele próprio e Renan Calheiros, no ataque; não apenas frente ao Planalto, para quem pretendem transferir toda a responsabilidade das próprias possíveis propinas, mas também, agora, frente ao Ministério Público e a Justiça, que estão na mira dos canhões da Casa. Há algo de rei nu em Cunha, e daí, também, tanta movimentação.

Por fim, no retorno do recesso parlamentar, após ter sido explicitamente denunciado como corrupto ativo na Lava Jato, seu poder chegou ao máximo, já apontando a desfaçatez nacional geral que se formou ao redor de sua atuação, já há muito ilegítima: em uma única noite Cunha botou em votação e fez aprovar em sua Câmara rompida com a Presidente as contas públicas do governo de Itamar Franco, dos dois governos de Fernando Henrique Cardoso, dos dois governos Lula, limpando a pauta do tema e abrindo condições formais para julgar as contas de Dilma Rousseff – caso recusadas, politicamente, pelo Tribunal de Contas da União – e finalmente abrir o processo de impeachment contra ela. O casuísmo como normalidade, a virtual ilegalidade das ações, a decisão unilateral em proveito próprio e de seu grupo particular, nada faz com que haja reação pública às práticas políticas de exceção do Deputado – que se revelam assim de interesse mais amplo – verdadeiro conspirador à direita, por dentro do aparato institucional da democracia.

E é apenas o elemento da virtual Justiça democrática, com a novidade radical no panorama brasileiro que é o Juiz Sérgio Moro, o dado que diferencia hoje a situação de um político como Eduardo Cunha de outros políticos brasileiros da mesma estirpe, desde um Bernardo Pereira de Vasconcelos, no Império, até um Carlos Lacerda, no pré-64.

NOVA POLÍTICA: JUDICIÁRIO

"O juiz Sérgio Moro é um enigma". Assim me falou um amigo que trabalha no judiciário paulista.

Um enigma do Brasil contemporâneo. Muito foi dito sobre ele, em todas as direções possíveis. Suas ações, ligadas à Polícia Federal e ao Ministério Público do Paraná, fizeram parte de uma ofensiva eleitoral peessedebista? Ele é um jacobino do judiciário, que busca levar a judicialização da política a um novo patamar? Um homem moral, que atingiu em cheio os vínculos promíscuos entre Capital e política no Brasil? Um perverso, que constrange os direitos individuais, e cria insegurança jurídica, para perseguir suas metas? Um homem de esquerda, que pode prender arquimilionários no país da impunidade garantida? Tudo isto foi dito dele, e ainda mais será.

O fato é que o juiz se preparou, técnica e politicamente, para a operação judiciária incomum que dirige. Em meados dos anos 2000 ele conseguiu relativamente pouco, em termos políticos e de justiça efetiva, quando da operação *Big Brother*, do processo do Banestado do Paraná, um banco que lavou dezenas de bilhões de dólares enviados ao exterior, na era das privatizações de Fernando Henrique Cardoso. E que, posteriormente, foi privatizado, ainda no governo tucano.[10]

---

10. "Durante o ano de 2003, uma força-tarefa do MPF e da PF investigou um esquema de evasão de divisas para paraísos fiscais operado por meio de contas CC5 (específicas para transações de cambio tanto para pessoas físicas, quanto para pessoas jurídicas) do Banco do Estado do Paraná (Banestado). Essas contas CC5, na época, eram de livre movimentação entre o Banestado, bancos estrangeiros e empresas de fachada, conforme revelaram as investigações. Ao todo, o esquema, estimavam os procuradores, pode ter movimentado aproximadamente US$ 28,1 bilhões durante os anos 1990. Du-

Crime de lavagem de dinheiro é o título do livro que publicou em 2010, baseado no processo do Banestado. Antes da Operação Lava Jato, ele ia de bicicleta para o tribunal. Também é mestre e doutor em Direito do Estado, pela Universidade Federal do Paraná e ainda foi o juiz mais votado na Justiça Federal para a indicação à vaga de Joaquim Barbosa, no Supremo Tribunal Federal, o que revela reconhecimento efetivo de seus pares. Seu estudo sobre a operação mãos limpas demonstra sua posição teórica ampliada, entre criminal e política, para o manejo de casos de grande corrupção, estrutural, envolvendo o Estado:

"A deslegitimação do sistema [*político*] foi ainda agravada com o início das prisões e a divulgação de casos de corrupção. A deslegitimação, ao mesmo tempo em que tornava possível a ação judicial, era por ela alimentada: A deslegitimação da classe política propiciou um ímpeto às investigações de corrupção e os resultados desta

---

rante o caso Banestado, mais de 1,1 mil contas foram investigadas, havendo o bloqueio de R$ 380 milhões no Brasil e mais R$ 34,7 milhões no exterior. As investigações foram encerradas, oficialmente, em setembro de 2007. Ao todo, o escândalo resultou na oferta de 95 denúncias classificadas de alta complexidade, entre elas uma contra Alberto Youssef. Houve, ao todo, 684 pessoas denunciadas por mais diversos crimes como lavagem de dinheiro, evasão de divisas, corrupção ativa e passiva, entre outros. O escândalo resultou em 97 condenações, quase a grande maioria gerou sentenças relacionadas à prestação de serviços à comunidade. Apesar do grande número de condenações, as pessoas consideradas líderes do esquema foram beneficiadas pela prescrição dos crimes. De 14 ex-gerentes e ex-diretores do Banestado, sete tiveram suas penas extintas por decisão do Superior Tribunal de Justiça (STJ) em 2013. Outros três tiveram suas penas parcialmente prescritas e ainda cumprirão cinco anos de prisão. Dois outros ex-diretores assinaram acordo de delação premiada e já cumpriram pena. Apenas um está cumprindo pena de prestação de serviços comunitários." Em http:goo.gl/i1B1To. O Banestado produziu a sua lavanderia internacional de dólares no auge do período das privatizações do governo Fernando Henrique Cardoso, e foi ele próprio privatizado, vendido ao Itaú, de modo que o Estado incorporou toda a dívida do banco.

fortaleceram o processo de deslegitimação. Conseqüentemente, as investigações judiciais dos crimes contra a Administração Pública espalharam-se como fogo selvagem, desnudando inclusive a compra e venda de votos e as relações orgânicas entre certos políticos e o crime organizado. As investigações *mani pulite* minaram a autoridade dos chefes políticos – como Arnaldo Forlani e Bettino Craxi, líderes do DC e do PCI – e os mais influentes centros de poder, cortando sua capacidade de punir aqueles que quebravam o pacto do silêncio.

O processo de deslegitimação foi essencial para a própria continuidade da operação *mani pulite*. Não faltaram tentativas do poder político para interrompê-la. Por exemplo, o governo do primeiro-ministro Giuliano Amato tentou, em março de 1993 e por decreto legislativo, descriminalizar a realização de doações ilegais para partidos políticos. A reação negativa da opinião pública, com greves escolares e passeatas estudantis, foi essencial para a rejeição da medida legislativa. Da mesma forma, quando o Parlamento italiano, em abril de 1993, recusou parcialmente autorização para que Bettino Craxi fosse processado criminalmente, houve intensa reação da opinião pública. Um dos protestos populares assumiu ares violentos. Uma multidão reunida em frente à residência de Craxi arremessou moedas e pedras quando ele deixou sua casa para atender uma entrevista na televisão. Em julho de 1994, novo decreto legislativo, exarado pelo governo do primeiro-ministro Silvio Berlusconi, aboliu a prisão pré-julgamento para categorias específicas de crimes, inclusive para corrupção ativa e passiva. A equipe de procuradores da operação *mani pulite* ameaçou renunciar coletivamente a seus cargos. Novamente, a reação popular, com vigílias perante as Cortes judiciais milanesas, foi essencial para a rejeição da medida.

Na verdade, é ingenuidade pensar que processos criminais eficazes contra figuras poderosas, como autoridades governamentais ou empresários, possam ser conduzidos normalmente, sem reações. Um Judiciário independente, tanto de pressões externas como internas, é condição necessária para suportar ações judiciais da espécie. Entretanto, a opinião pública, como ilustra o exemplo italiano, é também essencial para o êxito da ação judicial."[11]

O fato público novo é que o juiz avança um significante político, importante, *até então inexistente no Brasil*. Ideologia de equilíbrio do sistema, prática moderadora da indecência do capitalismo sem riscos entre nós, ou nova realidade das coisas do poder no Brasil, o fato é que *todos os diretores e executivos mais importantes das empreiteiras mais ricas do país foram presos por ele, e mantidos na cadeia durante meses, até serem julgados, e, na medida das provas, condenados*. O novo termo, meio espantoso, da política e economia brasileira é *milionários e poderosos vão para a cadeia no Brasil*.

Com base no trabalho de Polícia Federal e de Ministério Público, nos desdobramentos de sua prática jurídica renovada, Moro conseguiu aquilo que a esquerda brasileira sempre sonhara, mas que havia deixado de desejar: prendeu um militar brasileiro de alta patente, o vice-almirante Othon Luiz Pinheiro da Silva, denunciado como tendo recebido propina de 4,5 milhões de reais quando da sua administração na Eletrobras Termonuclear – os promotores públicos da Lava Jato avaliam que o almirante deva ter recebido 30 milhões de reais... e, no mais castiço estilo brasileiro, o militar recebeu a Polícia Federal com ameaças de simplesmente "meter bala".[12]

---

11. "Considerações sobre a operação *mani pulite*", Revista do Conselho de Justiça Federal, no. 26, jul/set. 2004.
12. http:goo.gl/VhmJYh

Olhando de um certo ponto de vista, de longa duração, este processo verdadeiramente inédito no país – que prende igualmente de arquimilionários empreiteiros à militares de alta hierarquia – é possível dizer , à luz deste trabalho político da justiça que entrou em cena na configuração de uma democracia moderna, e sua dinâmica de compensações internas, que *finalmente a ditadura militar de 1964 acabou no Brasil*. Esta é, sem dúvida, uma perspectiva limitada, mas nos possibilita intuir as possibilidades verdadeiramente impensadas que as novas ações da justiça podem originar.

O resultado do processo de justiça, de Moro, que está em andamento, é forte: Dalton dos Santos Avancini, ex-Presidente da Camargo Corrêa, e Eduardo Leite, ex-vice-Presidente da empresa, pegaram 15 anos e dez meses de reclusão, mais multas milionárias; após dois anos de cadeia, eles devem se beneficiar de um regime domiciliar, pelo acordo de delação que realizaram…, enquanto João Ricardo Auler, ex-Presidente do Conselho de Administração da empreiteira, pegou nove anos e seis meses de cadeia, sem direito a benefícios, por não ter aderido à delação premiada. Léo Pinheiro, ex-Presidente da empreiteira OAS, e Agenor Medeiros, ex-diretor, foram condenados a 16 anos e 4 meses de prisão. Sem benefícios.

O que se observa, no manejo da justiça e da lei, é que a diferença de destino penal é enorme – essencialmente a possibilidade de não cumprir a pena na cadeia – entre quem realiza um acordo de delação e quem não o faz. O uso da norma do acordo, deste modo, tende a abrir mão das penas – também praticamente inexistentes quando imperava a lei do silêncio entre os envolvidos – para valorizar o processo judicial como desbaratamento *do próprio esquema* privado-público-político de corrupção. De certo modo *é o todo* e o público que é visado, mais do que a justiça pessoal e de vingança *contra o homem*, como, de resto, costuma funcionar a justiça, de modo draconiano, contra os pobres no Brasil.

Paradoxalmente, esta ação afirmativa da justiça de Sergio Moro só foi possível porque a Presidente Dilma Rousseff regulamentou, em agosto de 2013 – dois meses após os levantes de maio... – obrigada por motivos de imagem política a mostrar serviço contra as reiteradas denúncias de corrupção em seu governo, o instituto, existente, mas até então inútil, da *delação premiada*. É uma clara dialética interna da democracia, muito típica das mazelas petistas em seus anos de governo: acossado por denúncias, visando à opinião pública, o governo cria o instrumento que vai liquidá-lo, judicialmente, junto à própria opinião pública.

Fazendo casar prisão preventiva de homens poderosos – econômica e politicamente – que poderiam intervir nos processos, com a novidade jurídica da delação premiada, tendo como base e horizonte as condenações e prisões de políticos, banqueiros, intermediários e publicitários realizadas no processo do Mensalão, Moro realizou um verdadeiro *strike* no sistema de corrupção privado-publico-político da Petrobras.

Dando voz a um republicanismo isento e rigoroso, o juiz legitima a sua verdadeira ação de poder político, e de efeito social, com o termo puro da lei, contra o desequilíbrio próprio da política: "A corrupção não tem cores partidárias. Não é monopólio de agremiações políticas ou de governos específicos. Combatê-la deve ser bandeira da esquerda e da direita."[13]

---

13. "Não é dos astros a culpa", Folha de S. Paulo, 24/8/2014.

Todavia, como dito em seu texto sobre a *mani pulite* italiana, o juiz Sergio Moro não trabalha apenas com a percepção do aspecto técnico da sua ação. Ele tem uma ideia muito precisa do processo mais amplo de *deslegitimação* do sistema político, e da dimensão forte de pressões e contra pressões públicas e políticas, que ela de fato implica.

TRADIÇÃO, CORRUPÇÃO E PT

Ao contrário do que imaginam os anticomunistas do nada, vendendo como pão de hoje as boas ideias de 1959, os erros do governo petista se deram inteiramente dentro do quadro de distorções e iniquidades bem próprios do capitalismo brasileiro, que também lhes pertence de pleno direito. O governo foi gradualmente corroído pelos efeitos graves da sua adesão ao legítimo modo brasileiro, tradicional, e geral, de fazer política. No Brasil, capitalismo e democracia formal – do presidencialismo de coalisão com os 32 partidos existentes, com as campanhas políticas mais caras do mundo – podem perfeitamente repor as estruturas arcaicas nacionais, ainda muito bem incrustradas no pacto capital-estado de caráter antissocial, de tipo antigo. A ocupação generalizada do Estado por *máfias de governo*, que atualizaram de modo pós-moderno o tradicional Estado patrimonialista brasileiro, ligadas elas próprias aos grandes interesses e grupos econômicos, parece ser uma constante nacional – certamente presente ao menos desde a ditadura militar – e o jogo pesado petista para o poder apenas confirmou este sistema de razões, de longa duração.

A ideia do governo deste novo tipo de esquerda era a de que o poder ideológico do populismo de mercado de Lula contrabalançaria, como ganho popular e de relativa paz social, como felicidade coletiva, gerida também pelo corpo carismático do político, a máquina infernal dos ganhos *sem contabilização* das múltiplas e várias máfias de governo, e de Estado, brasileiras, clube privado de controle do que é público que o partido confirmava e também passava a participar.

Tencionando com a democracia institucional, a partir do avanço histórico constante de Ministério Público, Polícia Federal e, principalmente, de uma Justiça que pela primeira vez atingiu imensos interesses criminosos do pacto brasileiro capital-Estado, o partido de esquerda recém chegado ao poder se viu, surpreendentemente para a consciência que fazia de si próprio, responsabilizado pela história crônica da corrupção brasileira.

Ao longo de seu longo tempo de governo algo deu errado para o PT. Na tensão dialética interna da democracia, o seu próprio discurso maniqueísta a respeito de ser perseguido pelas elites entrou em crise radical, que ninguém no partido consegue pensar, deslocar ou transformar. Bem ao contrário do que diz, o PT está sendo processado politicamente exatamente pela revelação do seu pacto com as grandes elites empresariais brasileiras, as grandes empreiteiras eleitas de sempre, prática que apenas confirmava o controle privado da gestão pública nacional.

Fazendo precisamente o que todos sempre fizeram, o PT precisou responder, em juízo, aos anos que pregou intensamente contra o próprio sistema a que aderiu. A verdadeira diferença, no jogo tenso das forças de uma democracia em funcionamento, se deu no impensável *funcionamento crítico* da justiça brasileira – o trabalho técnico avançado do quase revolucionário, para o Brasil, juiz Sérgio Moro – uma vez que, até o processo do mensalão e a prisão preventiva por quase seis meses de vinte diretores e donos das maiores empreiteiras do país – entre elas OAS, Camargo Correa, Odebrecht, Mendes Jr., Queiróz Galvão, UTC, Engevix, Iesa, Galvão Engenharia, Andrade e Gutierrez ...– a nossa justiça sempre soube garantir a impunidade de abastados no país. Impunidade que, vergonhosamente para a sua história, o PT demandou para si próprio, baseado na tradição brasileira, quando as coisas começaram a dar erradas para o partido. E esta é uma verdade profunda, do sentido oculto na famosa fotografia, do cumprimento cordial entre Lula e Paulo Maluf.[14]

Afastado dos seus próprios princípios e bases críticas de classe média, para muitos o PT contribui para o avanço da democracia com o seu próprio esfacelamento, entregando aos inimigos políticos a posição de virtudes públicas que eles nunca tiveram, e que de fato não têm. Paradoxalmente, pela própria fraqueza, o PT daria origem a um novo patamar de consciência pública do sentido da corrupção brasileira e do que é democracia por aqui. Resta saber se a sanha punitiva legítima antipetista alcançará também um dia partidos burgueses mais tradicionais, como PSDB e PMDB... e os mesmos

---

14. "Muitos ficaram revoltados com a fotografia de Lula cumprimentando Maluf no jardim de sua mansão. Desfaçatez com a história. *Insolência conservadora*. A desautorização simbólica bem radical que o homem do poder deseja realizar sobre os seus. Alguma tardia resistência de valor interno, de alguma natureza de vínculo com a história, se elevou dentro das pessoas. Mas o desprezo contido no gesto, da ex-esquerda com a ex-direita comemorando a sua nova igualdade, já demonstra que tais pruridos são de fato anacrônicos. O poder demanda adesão total, e a conversão da história na imagem que aceita tudo é sua arma principal. Estes muchochos de pessoas ao redor não interessam minimamente ao estado do poder, inclusive porque eles vêm de pessoas que julgam a política da imagem, mas não o conceito da política."; escrevi na época do famigerado episódio. Em *ensaio, fragmento*, São Paulo: Editora 34, 2014, p. 34.

esquemas de carteis milionários – como, por exemplo, o de vinte anos do metrô de São Paulo – associados a estes partidos. No jogo de sete erros dos *Esaús* e dos *Jacós* pósmodernos locais, *os nossos corruptos são sempre melhores que os dos outros.*

De fato, pelo destino vergonhoso do processo do mensalão tucano mineiro, tudo indica que o PT deve servir realmente de bode expiatório – ideológico e mágico – dos processos perigosos de uma democracia liberal que, salvo engano, entrou em funcionamento.

ENTROPIA, ANOMIA E NOVA ORDEM

Este muito complexo jogo de forças, todas politizadas ao extremo, todas falando em nome de um interesse que se tornou absolutamente particular, encarnado e único, gradualmente produziu uma verdadeira dissipação do *lugar do governo*. Se deu no Brasil o vazio de alguma *integração por um governo*. A estrutura de uma hierarquia simbólica que oriente as ações gerais e coletivas por um ponto de fuga no poder Executivo, e seu chefe, desapareceu no Brasil ao longo dos primeiros meses do ano de 2015. Descobrimos que, ao menos por aqui, o governo é um pacto simbólico construído em um espaço político que *não coincide com a legitimidade legal institucional*. E este pacto foi verdadeiramente rompido, fragmentado, dissolvido, fazendo desaparecer *o lugar do governo* no sistema geral da política e do poder, que deixou de fato de existir por um segundo histórico.

E faz parte da falência do governo a estranha falência do Partido do governo, que só pode ser creditada ao efeito da política insólita do lulismo sobre ele, exatamente quando aquele Partido conquistou a quarta vitória nacional consecutiva... *"Ao vencedor..."*

No horizonte mais longínquo deste processo está a história de instabilidade institucional e luta radical pelo poder no país pós-colonial e economicamente periférico. Uma história de longa duração, de degladiação das elites pelo espólio de um lugar no mundo mal constituído: crises institucionais fortes presentes na origem da nação, crises ocorridas na sua integração territorial, crises no processo de transformação da economia de base escravista, crises profundas no processo já tardio de expansão da indústria, crises, atuais, na renovação do sistema do capitalismo mundial rumo a sua financeirização total. Cada novo lance histórico de ajuste local a alguma nova ordem de funcionamento das circulações mundiais de riquezas que passam pelo Brasil sempre teve efeito político que poderia alcançar *a própria estrutura da base institucional fraca do país*, a estrutura do pacto muito instável e superficial das elites brasileiras pelo seu próprio poder. Este processo de grande escala, da situação histórica do país atrasado pós-colonial em atualização modernizante constante, produz uma série de momentos políticos *negativos,* síncopes históricas, que chamei, em outro lugar, de *o conceito do transe*, brasileiro:

"A ideia brasileira do *transe*: a estrutura insólita da política no país antiga colônia, escravista e atrasado. O andamento acelerado da modernização deste espaço social por vezes se dá aos saltos do *transe* político e social. Na hora decisiva o país não sabe se vai para a frente ou para trás, porque, de fato, pode ir tanto para a frente quanto para trás. O *transe* é também a própria reversão conservadora do processo da mudança. A crise "a todo transe", já dizia Nabuco, em uma página que, decorada por Glauber Rocha, se tornou o sonho, o pesadelo, do giro infinito da história que não passa, mas também não começa: *Terra em transe*."[15]

A situação do presente é um fenômeno político de grande porte. A perda da integridade do poder erigido, em meio do próprio processo que o constituiu. Uma aceleração histórica em que os agentes de todas as dimensões, que se multiplicam, e que, ao se moverem, simplesmente *corroem* o ponto de fuga do poder do governo, alcançou o estado de uma dinâmica entrópica, dissipativa, tendente, do ponto de vista do governo, a igualar o poder da Presidente ao de qualquer outro presente no sistema, em ebulição política.

A multiplicação de forças ao máximo, a dissipação da legitimidade de um foco ordenador para o sistema geral, em fragmentação, produziu uma vida política sem centro, e sem a fantasia política organizadora de algum projeto. Talvez a dissipação da "integridade egoica" do governo, a fantasia de uma organização, de um horizonte de desejo, de uma forma qualquer a alcançar, seja o ponto final para a hiper fragmentação, das forças e das vozes, a nova modalidade de *transe local* – em uma imagem das coisas políticas correspondente, em um outro estágio, à análise do pré-1964 do famoso filme. No Brasil do início do quarto governo petista, desapareceu, através da luta política extremada, *a fantasia de integridade* de um governo, levando a zero o seu poder frente às demais forças presentes.

Porém, muito diferente de 1964, não há no próprio horizonte do processo da multiplicação e redução do poder às vozes e corpos, nenhuma força que possa se arvorar a novo

---

15. *ensaio, fragmento,* São Paulo: Editora 34, 2014, p.49.

núcleo de autoridade, exército ou projeto neo-imperialista central, como existia de fato, dentro e fora do país, nos anos de 1960. Não há, também no campo da oposição ao governo, nenhum inimigo *que de fato deseje alguma outra coisa*, como existia na conspiração e na busca ativa de poder e ditadura, do pacto militar-civil, pró-americano, de 1964. Este conjunto de forças, antigas, está fora do atual cenário de *transe* das vozes, anomia política e intensidade entrópica das forças de hoje, embora, para dar o sabor de absurdo muito próprio ao processo brasileiro, elas sejam também evocadas e pedidas nas ruas por alguma voz, em uma espécie de reserva autoritária limite das coisas brasileiras.

A somatória acumulativa dos seguintes processos, cada um deles em si mesmos complexos, levou praticamente a zero o grau de uso do poder político do governo de Dilma Rousseff: 1. profundos arcaísmos brasileiros, 2. ideologia antipetista, 3. interesses políticos eleitorais e concretos, 4. crise econômica real, com base na recolha do capital mundial e no estouro da *bolha Brasil* lulista 5. sistema político degradado (32 partidos etc…), 6. efetiva crise moral petista com importantes condenações na justiça, 7. dissipação de um grande esquema privado-público-político de corrupção, com dissolução do lugar de poder de todo um setor da burguesia nacional, as grandes construtoras – aliado ao governo petista – 8. crise interna continuada do próprio PT frente ao seu governo, 9. fraqueza do caráter político da presidente, com ausência de qualquer carisma e falta de ligação orgânica com qualquer setor social, 10. emergência, neste quadro, de uma liderança à direita no Congresso, oportunista, agressiva e *produtiva*, 11. nova judicialização da política, ou criminalização das práticas tradicionais de governo e burguesia, em escala nunca antes imaginada, 12. nova conquista das ruas por movimentos populares de direita, reorganizados no país por um sistema de comunicações original, constituído na internet e 13. ausência real no espaço público de movimentos organizados e expressões à esquerda do espectro político, fragmentados e desmobilizados por três processos: a adesão e agregação burocratizantes dos grande movimentos sociais (CUT, MST etc...) cooptados por lugares na gestão dos governos petistas; o afastamento simbólico de uma esquerda crítica, mínima, ao modo de ser do governo petista; e a fragmentação – no limite de *um anarquismo de estilo de vida* – de muito pequena escala, dos movimentos jovens de militância à esquerda, de busca de ação direta, simultaneamente crítica ao governo dito de esquerda.

Este amplo quadro de múltiplas crises acumuladas, em frentes demais para a ação de um governo ele mesmo em crise de *mudança de matriz econômica*, levou ao esvaziamento do poder político da presidente durante todos os primeiros meses de seu segundo mandato. Ela cedeu o poder de decisão econômica à sua frente neoliberal interna, dando poderes de decisão amplos ao seu ministro da fazenda Joaquim Levy – mas ao mesmo tempo, estranhamente, desautorizando-o... – homem advindo do grande mercado financeiro brasileiro ligado ao Bradesco, o maior banco privado do país.[16] E cedeu a negociação política inteiramente ao vicepresidente peemedebista Michel Temer,

---

16. De fato as ações econômicas do governo no período foram em geral erráticas e desorganizadas, revelando a crise interna entre a política fiscalista de Levy, e o desejo petista, impotente, de manutenção de direitos, e de gasto social, tornado inviável no curto prazo. Mais uma vez o governo se viu dividido.

representante de elites conservadoras que tradicionalmente negociam com a política preferencialmente para o próprio enriquecimento. Este movimento de cessão de poder, em que a presidente demonstrava a fraqueza de seu próprio lugar de direção no processo, acabaria por multiplicar a fragmentação das forças, elevando ao quadrado a própria crise em um jogo tendente à crise, do mundo do *todos contra todos* pós-moderno brasileiro, que a fragmentação dos interesses acabou por produzir.

Dilma terminou no mesmo nível de poder de cada agente que se manifestasse no seu processo, e todos podiam dispor de seu governo, cada um decidindo por si mesmo a efetividade de um impeachment: as ruas querendo gritar a sua solução moralista seletiva à direita, derrubando-a – o trabalho de ativismo político, algo profissional, daquela organização pública à direita tornou *verossímil*, como dizia Vico sobre alguns lances da história, a solução traumática – Eduardo Cunha animando as ruas que animam Cunha a derrubá-la no Congresso, o Superior Tribunal Eleitoral podendo decidir, no panorama dado, a invalidação da sua eleição, o Tribunal de Contas da União podendo decidir pela recusa das suas contas de governo, dando prova de crime de responsabilidade para a abertura do processo de impeachment, a Câmara aprovando – com a lamentável e degradante ação oportunista de PSDB e PMDB – matérias de interesses muito particulares que aumentam o gasto público e ao mesmo tempo degradam ainda mais a legitimidade do governo, o juiz Sérgio Moro podendo detonar simbolicamente o processo de impeachment, dependendo de suas novas decisões a respeito da corrupção petista na Petrobras...

Enfim, cada força parece ter se autonomizado, no máximo de sua potência, reduzindo ao máximo, no mesmo movimento, a força da *fantasia integradora* do poder executivo e de sua chefe de governo. Assim se produziu a *anomia política* tendente à entropia brasileira neste momento. Tal movimento amplo produziu a situação política extrema de *um governo recém-eleito que não pode governar*.

E é este processo, em um nível que ninguém pode pensar, que se liga à "entropia do capitalismo, em seu núcleo orgânico, que desorganiza até mesmo as suas forças antissistêmicas", lembrado por Paulo Arantes.

Em outro panorama histórico, e isto é uma fantasmagoria do passado brasileiro que assombra certo pensamento à esquerda, estariam de fato plenamente criadas as condições para a derrubada do governo por um golpe, por exemplo, militar. Neste momento, no entanto, não existe interesses de horizonte estratégico para o desenvolvimento capitalista no Brasil nesta direção. No último lance no tabuleiro da anomia política brasileira que vou anotar aqui, nas primeiras semanas do mês de agosto de 2015, foi possível observarmos um apelo *por cima* de retorno à ordem, diante do grau zero de poder, do corpo político à deriva da Presidente, e do risco da derrocada final de seu governo pela convocação organizada de uma nova manifestação de massas nacional, agora pedindo *apenas seu impeachment* – bem como a prisão de Lula..., a voz do homem de massa qualquer, organizado, se tornou por fim poder decisivo, como todos os demais núcleos de poder do país, em uma dissolvência estratégica do poder nas ruas, à direita, do país –.

A convocação por cima uniu alguns agentes sociais especiais, os mais puros e fortes poderes estruturados do capitalismo à brasileira, neste momento para salvar a Presidente e o seu governo. A Folha de S. Paulo escreveu editoriais pedindo o fim da crise política, visando a evitar o aumento da degradação econômica do Brasil; o presidente do Bradesco, Luiz Carlos Trabuco, veio a público, em entrevista no mesmo jornal, e pediu "grandeza" dos agentes políticos, que deixassem os próprios interesses fragmentários, em sinalização entendida à favor do governo; líderes e organizações de classe empresariais – Fiesp, CNI... – produziram comunicações, mesmo que a contra gosto, pelo fim da crise política, e por fim, e talvez principalmente, coroando a onda:

"O vice-presidente do Grupo Globo, João Roberto Marinho, procurou nas últimas semanas líderes das principais forças políticas do país e integrantes do governo para expressar preocupação com a crise e pedir moderação para evitar que ela se aprofunde ainda mais. (...) Conforme relatos obtidos pela Folha sobre estas conversas, Marinho manifestou em todos os encontros preocupação com a situação econômica, mencionando a queda acentuada do faturamento dos grupos de mídia e de outros setores da economia. (...) Outros líderes empresariais transmitiram mensagens semelhantes nas últimas semanas, mas os apelos de Marinho tiveram ressonância maior entre os políticos por causa da influência da Globo na opinião pública. (...) Nos últimos dias, porém, o governo começou a discutir com líderes do PMDB no Senado uma agenda de reformas e ganhou fôlego para enfrentar os opositores que defendem a saída de Dilma como solução para a crise."[17]

Assim, tudo indica, se as coisas forem enfim nesta direção, o governo petista foi derrubado e foi reposto ao longo

---

17. "Grupo Globo pediu moderação a políticos", por Daniela Lima, em Folha de S. Paulo, 16 de agosto de 2015.

do primeiro semestre de 2015. Derrubado pela somatória de forças anômicas bastante agressivas acumuladas à direita, incluindo entre elas os próprios grandes erros. E resposto na sua legitimidade, na hora da maior entropia, pelo cacife final das maiores forças econômicas estruturadas, representadas pelos grandes capitalistas brasileiros.

O lastro final da governabilidade do quarto mandato de governos petistas, se acontecer, será dado por homens como João Roberto Marinho e Luis Carlos Trabuco,[18] que no auge da crise de esvaziamento do *lugar do poder* do governo decidiram por sua continuidade, certamente avaliando os próprios interesses. Deste modo, deve-se a estas maiores forças do Capital nacional – com seus desdobramentos de interesses globalizados – a reposição simbólica da estrutura institucional da própria democracia, e o lastro de legitimidade de manutenção do último governo petista. O governo seria salvo, assim, *pelo Capital em pessoa*.

---

18. Vejamos as posturas semelhantes de Roberto Setubal, presidente do Itaú Unibanco, já no adiantado da hora da crise: "Nada do que vi ou ouvi até agora me faz pensar que há condições para um impeachment. Por corrupção, até aqui, não tem cabimento. (…) Pelo contrário, o que a gente vê é que Dilma permitiu uma investigação total sobre o tema. Era difícil imaginar no Brasil uma investigação com tanta independência. (…) Seria um artificialismo tirar a presidente neste momento. Criaria uma instabilidade ruim para nossa democracia. (…) Não se pode tirar um presidente do cargo porque momentaneamente ele está impopular. É preciso respeitar as regras do jogo, precisa respeitar a Constituição. Eu sou a favor da constituição." Entrevista à David Friedlander, Folha de S. Paulo, 23 de agosto de 2015. De fato o processo todo, da crise com os bancos de 2012, à reposição do governo pelos próprios grandes banqueiros e empresários, a partir de julho/agosto de 2015, parece ter sido uma *viagem redonda* cujo sentido político final foi a destruição do projeto petista de governo, e, por um tempo indeterminado a partir de agora, a destruição do próprio PT e seu lugar na política brasileira. [*nota acrescentada ao livro no prelo*]

Estamos em pleno mar, e se o outro significante que busca totalizar o processo, o da ilegitimidade absoluta do governo por causa da crise econômica e da corrupção revelada da operação Lava Jato – que as massas organizadas de direita e de classe média gritam a plenos pulmões na rua, com grande *pathos* de intolerância – não chegar a se impor ao sistema político em ebulição, será esta a decisão das forças sociais maiores e mais ricas do país.

E se assim for, teremos que admitir que nenhum movimento social, nenhuma organização de trabalhadores, nenhuma crítica à esquerda, nenhuma mobilização popular pela legitimidade democrática do governo, mantiveram o seu lugar de poder constituído; mas sim, no momento de grau zero de seu poder, o grande Capital nacional resolveu, até segunda ordem, mantê-lo como agente e dispositivo legítimo no tenso jogo político social brasileiro.

Globo, Bradesco e Itaú, entre outras forças empresariais estruturadas, que no passado foram forças maiores de investimento e interesse em uma ditadura no país, hoje, no auge da crise que também alimentaram, preferem, quase sozinhos socialmente, como *sujeitos preferenciais* no processo *de todos contra todos*, a manutenção democrática do governo petista terminal. Eles tentam repor o pacto de uma fantasia unificadora possível de governo. São forças integradoras da democracia brasileira em crise, e o governo petista, se conseguir se livrar de todos os múltiplos inimigos cultivados no limite das suas forças, deverá a estes imensos poderes brasileiros a manutenção da própria cabeça.

Por fim, com o esgarçamento de todo o sistema político brasileiro, podemos observar de modo nítido, quase cru e nu, quais são os verdadeiros sujeitos das decisões finais, em uma democracia capitalista de massas periférica, apenas funcionando o caos de sua própria produção.

> *São Paulo, entre a primeira manifestação nacional pelo impeachment de Dilma Rousseff, em março, e a terceira, em agosto, de 2015.*

COLEÇÃO HEDRA

1. *Iracema*, Alencar
2. *Don Juan*, Molière
3. *Contos indianos*, Mallarmé
4. *Auto da barca do Inferno*, Gil Vicente
5. *Poemas completos de Alberto Caeiro*, Pessoa
6. *Triunfos*, Petrarca
7. *A cidade e as serras*, Eça
8. *O retrato de Dorian Gray*, Wilde
9. *A história trágica do Doutor Fausto*, Marlowe
10. *Os sofrimentos do jovem Werther*, Goethe
11. *Dos novos sistemas na arte*, Maliévitch
12. *Mensagem*, Pessoa
13. *Metamorfoses*, Ovídio
14. *Micromegas e outros contos*, Voltaire
15. *O sobrinho de Rameau*, Diderot
16. *Carta sobre a tolerância*, Locke
17. *Discursos ímpios*, Sade
18. *O príncipe*, Maquiavel
19. *Dao De Jing*, Lao Zi
20. *O fim do ciúme e outros contos*, Proust
21. *Pequenos poemas em prosa*, Baudelaire
22. *Fé e saber*, Hegel
23. *Joana d'Arc*, Michelet
24. *Livro dos mandamentos: 248 preceitos positivos*, Maimônides
25. *O indivíduo, a sociedade e o Estado, e outros ensaios*, Emma Goldman
26. *Eu acuso!*, Zola | *O processo do capitão Dreyfus*, Rui Barbosa
27. *Apologia de Galileu*, Campanella
28. *Sobre verdade e mentira*, Nietzsche
29. *O princípio anarquista e outros ensaios*, Kropotkin
30. *Os sovietes traidos pelos bolcheviques*, Rocker
31. *Poemas*, Byron
32. *Sonetos*, Shakespeare
33. *A vida é sonho*, Calderón
34. *Escritos revolucionários*, Malatesta
35. *Sagas*, Strindberg
36. *O mundo ou tratado da luz*, Descartes
37. *O Ateneu*, Raul Pompeia
38. *Fábula de Polifemo e Galateia e outros poemas*, Góngora
39. *A vênus das peles*, Sacher-Masoch
40. *Escritos sobre arte*, Baudelaire
41. *Cântico dos cânticos*, [Salomão]
42. *Americanismo e fordismo*, Gramsci
43. *O princípio do Estado e outros ensaios*, Bakunin

44. *O gato preto e outros contos*, Poe
45. *História da província Santa Cruz*, Gandavo
46. *Balada dos enforcados e outros poemas*, Villon
47. *Sátiras, fábulas, aforismos e profecias*, Da Vinci
48. *O cego e outros contos*, D.H. Lawrence
49. *Rashômon e outros contos*, Akutagawa
50. *História da anarquia (vol. 1)*, Max Nettlau
51. *Imitação de Cristo*, Tomás de Kempis
52. *O casamento do Céu e do Inferno*, Blake
53. *Cartas a favor da escravidão*, Alencar
54. *Utopia Brasil*, Darcy Ribeiro
55. *Flossie, a Vênus de quinze anos*, [Swinburne]
56. *Teleny, ou o reverso da medalha*, [Wilde et al.]
57. *A filosofia na era trágica dos gregos*, Nietzsche
58. *No coração das trevas*, Conrad
59. *Viagem sentimental*, Sterne
60. *Arcana Cœlestia* e *Apocalipsis revelata*, Swedenborg
61. *Saga dos Volsungos*, Anônimo do séc. XIII
62. *Um anarquista e outros contos*, Conrad
63. *A monadologia e outros textos*, Leibniz
64. *Cultura estética e liberdade*, Schiller
65. *A pele do lobo e outras peças*, Artur Azevedo
66. *Poesia basca: das origens à Guerra Civil*
67. *Poesia catalã: das origens à Guerra Civil*
68. *Poesia espanhola: das origens à Guerra Civil*
69. *Poesia galega: das origens à Guerra Civil*
70. *O chamado de Cthulhu e outros contos*, H.P. Lovecraft
71. *O pequeno Zacarias, chamado Cinábrio*, E.T.A. Hoffmann
72. *Tratados da terra e gente do Brasil*, Fernão Cardim
73. *Entre camponeses*, Malatesta
74. *O Rabi de Bacherach*, Heine
75. *Bom Crioulo*, Adolfo Caminha
76. *Um gato indiscreto e outros contos*, Saki
77. *Viagem em volta do meu quarto*, Xavier de Maistre
78. *Hawthorne e seus musgos*, Melville
79. *A metamorfose*, Kafka
80. *Ode ao Vento Oeste e outros poemas*, Shelley
81. *Oração aos moços*, Rui Barbosa
82. *Feitiço de amor e outros contos*, Ludwig Tieck
83. *O corno de si próprio e outros contos*, Sade
84. *Investigação sobre o entendimento humano*, Hume
85. *Sobre os sonhos e outros diálogos*, Borges | Osvaldo Ferrari
86. *Sobre a filosofia e outros diálogos*, Borges | Osvaldo Ferrari
87. *Sobre a amizade e outros diálogos*, Borges | Osvaldo Ferrari
88. *A voz dos botequins e outros poemas*, Verlaine

89. *Gente de Hemsö*, Strindberg
90. *Senhorita Júlia e outras peças*, Strindberg
91. *Correspondência*, Goethe | Schiller
92. *Índice das coisas mais notáveis*, Vieira
93. *Tratado descritivo do Brasil em 1587*, Gabriel Soares de Sousa
94. *Poemas da cabana montanhesa*, Saigyō
95. *Autobiografia de uma pulga*, [Stanislas de Rhodes]
96. *A volta do parafuso*, Henry James
97. *Ode sobre a melancolia e outros poemas*, Keats
98. *Teatro de êxtase*, Pessoa
99. *Carmilla — A vampira de Karnstein*, Sheridan Le Fanu
100. *Pensamento político de Maquiavel*, Fichte
101. *Inferno*, Strindberg
102. *Contos clássicos de vampiro*, Byron, Stoker e outros
103. *O primeiro Hamlet*, Shakespeare
104. *Noites egípcias e outros contos*, Púchkin
105. *A carteira de meu tio*, Macedo
106. *O desertor*, Silva Alvarenga
107. *Jerusalém*, Blake
108. *As bacantes*, Eurípides
109. *Emília Galotti*, Lessing
110. *Contos húngaros*, Kosztolányi, Karinthy, Csáth e Krúdy
111. *A sombra de Innsmouth*, H.P. Lovecraft
112. *Viagem aos Estados Unidos*, Tocqueville
113. *Émile e Sophie ou os solitários*, Rousseau
114. *Manifesto comunista*, Marx e Engels
115. *A fábrica de robôs*, Karel Tchápek
116. *Sobre a filosofia e seu método — Parerga e paralipomena (v. II, t. 1)*, Schopenhauer
117. *O novo Epicuro: as delícias do sexo*, Edward Sellon
118. *Revolução e liberdade: cartas de 1845 a 1875*, Bakunin
119. *Sobre a liberdade*, Mill
120. *A velha Izerguil e outros contos*, Górki
121. *Pequeno-burgueses*, Górki
122. *Um sussurro nas trevas*, H.P. Lovecraft
123. *Primeiro livro dos Amores*, Ovídio
124. *Educação e sociologia*, Durkheim
125. *Elixir do pajé — poemas de humor, sátira e escatologia*, Bernardo Guimarães
126. *A nostálgica e outros contos*, Papadiamántis
127. *Lisístrata*, Aristófanes
128. *A cruzada das crianças/ Vidas imaginárias*, Marcel Schwob
129. *O livro de Monelle*, Marcel Schwob
130. *A última folha e outros contos*, O. Henry
131. *Romanceiro cigano*, Lorca

132. *Sobre o riso e a loucura*, [Hipócrates]
133. *Hino a Afrodite e outros poemas*, Safo de Lesbos
134. *Anarquia pela educação*, Élisée Reclus
135. *Ernestine ou o nascimento do amor*, Stendhal
136. *A cor que caiu do espaço*, H.P. Lovecraft
137. *Odisseia*, Homero
138. *O estranho caso do Dr. Jekyll e Mr. Hyde*, Stevenson
139. *História da anarquia (vol. 2)*, Max Nettlau
140. *Eu*, Augusto dos Anjos
141. *Farsa de Inês Pereira*, Gil Vicente
142. *Sobre a ética — Parerga e paralipomena (v. II, t. II)*, Schopenhauer
143. *Contos de amor, de loucura e de morte*, Horacio Quiroga
144. *Memórias do subsolo*, Dostoiévski
145. *A arte da guerra*, Maquiavel
146. *O cortiço*, Aluísio Azevedo
147. *Elogio da loucura*, Erasmo de Rotterdam
148. *Oliver Twist*, Dickens
149. *O ladrão honesto e outros contos*, Dostoiévski
150. *Cadernos: Esperança do mundo*, Albert Camus
151. *Cadernos: A desmedida na medida*, Albert Camus
152. *Cadernos: A guerra começou…*, Albert Camus
153. *Escritos sobre literatura*, Sigmund Freud
154. *O destino do erudito*, Fichte
155. *Diários de Adão e Eva*, Mark Twain
156. *Tudo que eu pensei mas não falei na noite passada*, Anna P.
157. *A Vênus de quinze anos (Flossie)*, Charles Swinburne
158. *O outro lado da moeda*, Oscar Wilde
159. *A vida de H.P. Lovecraft*, S.T. Joshi
160. *Os melhores contos de H.P. Lovecraft*
161. *Obras escolhidas*, Mikhail Bakunin

COLEÇÃO «QUE HORAS SÃO?»

1. *Lulismo, carisma pop e cultura anticrítica*, Tales Ab'Sáber
2. *Crédito à morte*, Anselm Jappe
3. *Universidade, cidade e cidadania*, Franklin Leopoldo e Silva
4. *O quarto poder: uma outra história*, Paulo Henrique Amorim
5. *Dilma Rousseff e o ódio político*, Tales Ab'Sáber

Adverte-se aos curiosos que se imprimiu este livro na gráfica Prol, em 20 de outubro de 2015em papel offset 90g em tipologia Neue Swift, com diversos sofwares livres, entre eles, XeLaTeX, git & ruby.

Adverte-se aos curiosos que se imprimiu este livro em nossas oficinas, em 16 de outubro de 2015, em tipologia Libertine, com diversos sofwares livres, entre eles, LuaLaTeX, git & ruby.

☙